COLLECTION FOLIO

Raymond Chandler

Le grand sommeil

Traduit de l'anglais
par Boris Vian

Gallimard

Titre original :

THE BIG SLEEP

Né en 1888 à Chicago, Raymond Chandler passe son enfance en Angleterre, avec sa mère divorcée. Externe au Dulwich College, il séjourne en France et en Allemagne, puis, reçu au concours des Affaires étrangères, il travaille à l'Amirauté, qu'il quitte très vite pour devenir journaliste. Rentré aux États-Unis en 1912, il s'engage, en 1914, dans l'armée canadienne, sert en France et termine la guerre dans la R.A.F.

Il s'installe alors en Californie, devient administrateur de compagnies pétrolières. La crise de 1929 l'ayant réduit au chômage, il se met alors à lire les magazines populaires de l'époque, les *pulps*, puis à écrire des nouvelles pour l'un des plus célèbres, *Black Mask*.

En 1939, il rédige son premier roman, *Le grand sommeil*, où apparaît Philip Marlowe, le détective privé qui deviendra à l'écran, sous les traits d'Humphrey Bogart, un des premiers grands héros mythologiques du roman noir. En 1943, Hollywood fait appel à lui en tant qu'adaptateur ou scénariste.

Il est mort le 26 mars 1959.

Parmi ses ouvrages les plus connus traduits en français : *La dame du lac* (1948), *Adieu, ma jolie* (1948), *Le grand sommeil* (1948), *La grande fenêtre* (1949), *Fais pas ta rosière !* (1950), *Sur un air de navaja* (1954), *Charades pour écroulés* (1959), *Un tueur sous la pluie* (1972), *Le jade du mandarin* (1972).

Ont été adaptés à l'écran, entre autres : *La dame du lac* par Robert Montgomery, *Adieu, ma jolie* par Edward Dmytryk, *Le grand sommeil* par Howard Hawks, *La grande fenêtre* par Paul Bogart, *Sur un air de navaja* par Robert Altman.

CHAPITRE I

Il était à peu près onze heures du matin, on arrivait à la mi-octobre et, sous le soleil voilé, l'horizon limpide des collines semblait prêt à accueillir une averse carabinée.

Je portais mon complet bleu poudre, une chemise bleu foncé, une cravate et une pochette assorties, des souliers noirs et des chaussettes de laine noire à baguettes bleu foncé. J'étais correct, propre, rasé, à jeun et je m'en souciais comme d'une guigne. J'étais, des pieds à la tête, le détective privé bien habillé. J'avais rendez-vous avec quatre millions de dollars.

L'entrée principale de la demeure des Sternwood avait deux étages de haut. Au-dessus des portes, de taille à laisser passer un troupeau d'éléphants hindous, un grand panneau de verre gravé représentait un chevalier en armure sombre, délivrant une dame attachée à un arbre et qui n'était revêtue que de ses longs cheveux ingénieusement disposés. Le chevalier avait rejeté la visière de son casque en arrière pour se donner un air plus sociable, et il tripotait les nœuds des ficelles qui retenaient la dame à l'arbre, sans arriver à rien. Je le considérai et je me dis que si j'habitais la maison, tôt ou tard, il faudrait que je grimpe l'aider... il n'avait pas l'air de s'y mettre sérieusement.

J'avisai des portes-fenêtres au fond du hall, au-delà desquelles un large tapis d'herbe émeraude s'étendait jusqu'à un garage blanc devant lequel un jeune chauffeur mince et brun, qui portait des leggins noirs luisants, briquait une Packard décapotable marron. Derrière le garage, quelques arbres ornementaux bichonnés comme des caniches. Derrière les arbres, une grande serre surmontée d'un dôme. Des arbres encore et, derrière le tout, l'horizon stable et solide des collines inégales.

Côté est, dans le hall, un escalier aérien carrelé s'élevait jusqu'à une galerie à balustrade de fer forgé ornée d'une seconde pièce montée en verre gravé. De grands fauteuils raides garnis de coussins bombés de peluche rouge s'appuyaient contre le mur dans les espaces disponibles. On songeait, en les voyant, que personne ne devait jamais s'y asseoir. Au milieu du mur ouest, il y avait une grande cheminée vide dotée d'un écran de cuivre formé de quatre panneaux articulés. Le manteau de marbre était orné d'amours. Au-dessus du manteau, un grand portrait à l'huile et, au-dessus du portrait, troués de balles ou mangés aux mites, deux fanions de cavalerie croisés dans un cadre de verre. Le portrait était un machin bien raide, représentant un officier en grande tenue de l'époque de la guerre du Mexique ou à peu près. L'officier portait une impériale noire bien propre, des moustaches noires, des yeux d'un noir de charbon, brûlants, et l'allure générale du monsieur avec qui il vaut mieux être d'accord. Je pensai que c'était probablement le grand-père du général Sternwood. Ça aurait difficilement pu être le général lui-même, quoique j'aie entendu dire qu'il était rudement vieux pour avoir deux filles âgées d'une vingtaine d'années.

Je regardais toujours les yeux noirs et brûlants, lorsqu'une porte s'ouvrit plus loin, sous les marches. Ce n'était pas le larbin qui revenait. C'était une fille.

Elle avait dans les vingt ans. Elle était mince et délicatement fabriquée, mais elle paraissait apte à tenir le coup. Elle portait des slacks bleu pâle et ça lui allait bien. Elle marchait comme si elle flottait. Ses cheveux flous faisaient une légère vague noisette coupée court. Ses yeux gris ardoise posés sur moi étaient à peu près dépourvus d'expression. Elle s'approcha de moi, sa bouche sourit... Elle avait de petites dents aiguës de bête de proie, blanches comme l'intérieur d'une écorce d'orange fraîche, et luisantes comme de la porcelaine. Elles brillaient entre ses lèvres minces et trop serrées. Son teint manquait de rose et elle n'avait pas l'air très saine.

— Vous êtes grand, non? dit-elle.

— Je ne l'ai pas fait exprès.

Ses yeux s'arrondirent. Elle était déconcertée. Elle réfléchissait. On se connaissait depuis bien peu de temps, mais je m'aperçus immédiatement que la réflexion ne devait pas être son fort.

— Beau garçon, en plus, dit-elle. Et je parie que vous le savez.

Je grognai.

— Comment vous appelez-vous?

— Reilly, dis-je. Nichachien Reilly.

— C'est un drôle de nom.

Elle se mordit la lèvre, tourna un peu la tête et me regarda du coin de l'œil. Et puis elle abaissa ses cils sur ses joues, et les releva lentement comme un rideau de scène. Elle devait, par la suite, m'habituer à ce truc. C'était destiné en principe à me renverser sur le dos, les quatre pattes en l'air.

— Vous êtes champion de boxe? demanda-t-elle en voyant que je ne réagissais pas dans ce sens.

— Pas exactement, dis-je. Je suis un flic.

— Un... un...

Elle secoua la tête avec irritation et le riche éclat de ses cheveux accrocha la faible lumière du hall.

— Vous vous moquez de moi.

— Mmm...

— Quoi?

— Ça va, dis-je. Vous avez entendu.

— Vous n'avez rien dit. Vous n'êtes qu'un grand mufle.

Elle leva son pouce et le mordit. C'était un drôle de pouce, mince et étroit; on aurait dit un index supplémentaire, maigre et fuselé, et doté dune première phalange toute raide. Elle le mordit, le suça lentement, le tourna dans sa bouche comme un geste fait d'une sucette.

— Vous êtes terriblement grand, dit-elle.

Puis elle gloussa, pleine d'une joie intime. Elle tourna lentement, très souplement, sans bouger les pieds. Ses mains retombèrent mollement à ses côtés. Elle s'inclina vers moi sur ses talons. Elle tomba dans mes bras à la renverse. Il fallait la retenir ou elle allait se fracturer le crâne sur le carrelage. Je l'attrapai sous les bras et elle me fit immédiatement le coup des jambes en caoutchouc. Il me fallut la serrer contre moi pour l'empêcher de choir. Quand sa tête toucha ma poitrine, elle la tourna vers moi et glousssa :

— Vous êtes chou, dit-elle. Moi aussi, je suis chou.

Je ne dis rien. Naturellement, le larbin choisit cet instant adéquat pour réapparaître par la porte-fenêtre et il la vit dans mes bras.

Ça ne parut pas le gêner du tout. C'était un grand type mince à cheveux blancs, soixante ans, peut-être un peu plus, peut-être un peu moins. Il avait des yeux bleus au regard aussi lointain que possible. Sa peau était lisse et fraîche et il se mouvait comme un homme en bonne forme. Il traversa lentement le parquet dans notre direction, et la fille s'écarta brusquement de moi. Elle fonça jusqu'à l'escalier et l'escalada comme une biche. Elle disparut avant que j'aie eu le temps de faire ouf.

Le larbin m'annonça d'une voix sans timbre :

— Le général vous attend, monsieur Marlowe.

Je remontai discrètement ma mâchoire inférieure qui s'endormait sur ma poitrine et j'acquiesçai.

— Qui était-ce?

— Miss Carmen Sternwood, monsieur.

— Vous devriez la sevrer. Elle doit avoir l'âge.

Il me regarda d'un air grave et poli et répéta son invitation.

CHAPITRE II

Nous franchîmes la porte-fenêtre et prîmes un sentier lisse dallé de rouge qui longeait la pelouse et la séparait du garage. Le chauffeur aux allures de gamin venait de sortir une grosse conduite intérieure noire et chromée et l'époussetait. Le sentier nous amena le long de la serre, et le larbin, m'ouvrant une porte, s'effaça pour me laisser entrer. Elle donnait dans une sorte de vestibule, à peine moins chaud qu'une étuve. Il entra derrière moi, ferma la porte extérieure, ouvrit une porte intérieure et nous passâmes. Là, il faisait réellement chaud. L'air était épais, humide, plein de vapeur et imprégné de l'odeur écœurante des orchidées tropicales en pleine floraison. Les murs et le toit de verre étaient couverts d'une épaisse buée et de grosses gouttes d'eau éclaboussaient les plantes. Le jour était d'un vert irréel, comme la lumière transparente d'un aquarium. Les plantes remplissaient tout. Une forêt de plantes aux vilaines feuilles charnues et aux tiges comme des doigts de mort frais lavés. Leur odeur était aussi pénétrante que celle de l'alcool qu'on fait bouillir sous un matelas.

Le larbin s'évertua à me guider en m'évitant les gifles des feuilles ruisselantes et, au bout d'un moment, nous parvînmes, au milieu de la jungle, à une clairière surmontée d'un dôme de verre. Là, sur des carreaux hexagonaux, on avait posé un vieux tapis turc rouge; sur le tapis turc il y avait un fauteuil roulant; dans le fauteuil roulant, un vieux type, visiblement en train d'agoniser, nous guettait de ses yeux noirs dont tout le feu était éteint depuis longtemps, mais qui conservaient l'acuité et la couleur charbon des yeux du portrait suspendu au-dessus de la cheminée du hall. Le reste de son visage n'était qu'un masque de plomb, les lèvres privées de sang, le nez mince, les tempes concaves et les oreilles décollées, indices du néant proche. Son corps, long et étroit, était enveloppé — par cette chaleur — dans une couverture de voyage et une vieille robe de chambre rouge. Ses mains fines aux longues griffes rouges se croisaient négligemment sur la couverture. Quelques boucles sèches de cheveux blancs s'accrochaient à son crâne, comme des fleurs sauvages qui luttent pour la vie sur un rocher nu.

Le larbin s'immobilisa devant lui et dit :

— Voici M. Marlowe, général.

Le vieil homme ne parla ni ne bougea; pas même un signe de tête. Il me regarda d'un œil sans vie. Le larbin me poussa sur les mollets une chaise d'osier humide et je m'assis. Il rafla mon chapeau d'un geste preste.

Alors le vieil homme tira sa voix du fond d'un puits et dit :

— Cognac, Norris. Comment prenez-vous votre cognac, monsieur?

— De toutes les façons, dis-je.

Le larbin s'éloigna parmi les abominables plantes. Le général parla encore, lentement; il ménageait ses forces avec autant de soins qu'une danseuse en chômage sa dernière paire de bas.

— Je prenais le mien au champagne. Champagne glacé comme l'Alaska, réchauffé d'un tiers de cognac. Vous pouvez retirer votre veste, monsieur. Il fait trop chaud ici pour un homme qui a du sang dans les veines.

Je me levai, me dépouillai de ma veste et sortis un mouchoir pour m'essuyer la figure, le cou et les poignets. Ça enfonçait Saint Louis au mois d'août. Je me rassis, voulus machinalement sortir une cigarette, mais j'interrompis mon geste. Le vieux type saisit l'intention et sourit faiblement.

— Vous pouvez fumer, monsieur. J'aime l'odeur du tabac.

J'allumai la cigarette et soufflai vers lui une longue bouffée qu'il flaira comme un terrier un trou de rat. Le même faible sourire étira les coins de sa bouche plongée dans l'ombre.

— C'est du propre quand un homme doit compter sur les autres pour satisfaire ses vices, dit-il durement. Vous avez devant vous le morne survivant d'une existence plutôt fastueuse, un infirme paralysé des deux jambes et ne possédant que la moitié de son ventre. Il n'y a que fort peu de choses que je puisse manger et mon sommeil est si semblable à la veille qu'il ne mérite pas son nom. Je vis surtout de chaleur, comme une araignée nouvelle-née, et les orchidées sont un prétexte. Aimez-vous les orchidées?

— Pas particulièrement, dis-je.

Le général ferma les yeux à demi.

— Ce sont de vilaines choses. Leur chair ressemble trop à la chair des hommes, et leur parfum a le charme corrompu d'une prostituée.

Je le regardais bouche bée. Douce et humide, la chaleur nous enveloppait comme un drap mortuaire. Le vieil homme branlait du chef comme si son cou s'effrayait de la douleur de sa tête. Alors le larbin, se frayant un chemin à travers la jungle à l'aide d'une table roulante, me prépara une fine à l'eau, enveloppa le seau à glace d'une serviette humide et se retira silencieusement parmi les orchidées. Une porte s'ouvrit et se referma derrière la jungle.

Je sirotais mon verre. Le vieux type se léchait et se pourléchait les babines en me regardant; il passait alternativement une lèvre sur l'autre, d'un air absorbé et funèbre, comme un croque-mort qui se lave les mains.

— Parlez-moi de vous, monsieur Marlowe. Je suppose que j'ai le droit de vous demander ça?

— Bien sûr, mais il y a peu de choses à raconter. J'ai trente-trois ans; je suis allé au collège jadis et je peux encore parler correctement si c'est nécessaire. On n'en a pas beaucoup besoin dans ma partie. J'ai travaillé pour Wilde, le procureur général du district, comme enquêteur, autrefois. Son enquêteur principal, un type du nom de Bernie Ohls, m'a fait appeler pour me dire que vous vouliez me voir. Je ne suis pas marié parce que je n'aime pas les femmes de flics.

— Et légèrement cynique, dit le vieil homme souriant. Ça ne vous plaisait pas de travailler pour Wilde?

— J'ai été flanqué à la porte. Pour refus d'obéissance. Je collectionne les refus d'obéissance, général.

— Ce fut toujours ma caractéristique, monsieur. J'ai plaisir à l'entendre. Que savez-vous de ma famille?

— J'ai entendu dire que vous étiez veuf et père de deux jeunes filles, toutes deux belles et toutes deux dures à tenir. L'une d'elles s'est mariée trois fois, la dernière fois avec un ex-bootlegger connu sur le marché sous le nom de Rusty Regan. C'est tout ce que je sais, général.

— Rien ne vous a frappé? Rien de bizarre?

— L'épisode Rusty Regan, peut-être. Mais j'ai moi-même toujours sympathisé avec les bootleggers.

Il eut son sourire faible et parcimonieux.

— Il semble que ce soit aussi mon cas. J'aime énormément Rusty. Un grand Irlandais, de Clonmel, à la tête bouclée, avec des yeux tristes et un sourire aussi large que Wilshire Boulevard. Quand j'ai fait sa connaissance, j'ai pensé ce que vous devez penser vous-même, que c'était un aventurier qui avait eu la veine de faire une fin.

— Vous deviez l'apprécier, dis-je. Vous parlez sa langue.

Il fourra ses mains fines et exsangues sous le bord de la couverture. J'éteignis le mégot de ma cigarette et liquidai mon verre.

— Pour moi, ça a été le souffle même de la vie... tant qu'il est resté. Il passait des heures avec moi, suant comme un porc, buvant du cognac par litres et me racontant des histoires de la révolution irlandaise. Il avait été officier dans l'I.R.A. Il n'était même pas en règle avec la loi pour habiter les Etats-Unis. C'était un mariage ridicule, naturellement, et en tant que mariage, ça n'a probablement pas duré un mois. Je vous raconte les secrets de la famille, monsieur Marlowe.

— Ça restera des secrets, dis-je. Que lui est-il arrivé?

Le vieil homme me regarda; son visage s'était fermé.

— Il est parti il y a un mois. Brusquement, sans un mot à personne. Sans me dire au revoir, à moi. Ça m'a fait de la peine, mais il avait été élevé à la dure. Il va me donner de ses nouvelles un de ces jours. Par ailleurs, on recommence à me faire chanter.

Je dis :

— On recommence?

Ses mains surgirent de sous la couverture; elles tenaient une enveloppe marron.

— Je n'aurais pas donné cher de la peau de celui qui aurait essayé de me faire chanter tant que Rusty était là. Quelques mois avant qu'il arrive... c'est-à-dire... il y a à peu près neuf ou dix mois, j'ai donné à un certain Joe Brody cinq mille dollars pour qu'il fiche la paix à Carmen, ma fille cadette.

— Ah!... dis-je.

Il leva ses minces sourcils blancs :

— Ce qui signifie?

— Rien, dis-je.

Il continuait à m'observer en fronçant légèrement les sourcils. Il reprit :

— Prenez cette enveloppe et examinez-la. Et le cognac est à votre disposition.

Je pris l'enveloppe posée sur ses genoux et me rassis. Je m'essuyai les mains et la retournai. Elle était adressée au Général Guy Sternwood, 3765 Alta Brea Crescent, West Hollywood, Californie. L'adresse était à l'encre, tracée en capitales inclinées comme en emploient les ingénieurs. L'enveloppe était fendue. Je l'ouvris et en tirai une carte marron et trois bandes de papier rigide. La carte était un mince bristol toilé marron et portait en lettres d'or : *Mr. Arthur Gwynn Geiger.* Pas d'adresse. En tout petits caractères, en bas et à gauche, on lisait : *Livres rares, Editions de luxe.* Je retournai la carte. Le dos portait ces mots, de la même écriture que l'enveloppe :

« Cher monsieur, malgré l'inexigibilité légale des pièces jointes, qui, pour être sincère, sont des dettes de jeu, j'ai pensé que vous préféreriez les honorer. Respectueusement à vous, A.-G. Geiger. »

J'examinai les bandes de papier blanc rigide. C'étaient des reconnaissances de dettes rédigées à l'encre et qui portaient des dates remontant au mois passé, septembre. « Je reconnais devoir à Arthur Geiger la somme de mille dollars payable sur sa demande sans intérêts. Carmen Sternwood. »

Les formules étaient remplies à la main d'une écriture instable et désordonnée; on y remarquait des tas d'arabesques épaisses et des petits ronds en guise de points. Je me préparai une autre fine et reposai les papiers.

— Vos conclusions? demanda le général.

— Rien encore. Qui est cet Arthur Gwynn Geiger?

— Je n'en ai pas la moindre idée.

— Qu'en dit Carmen?

— Je ne lui ai posé aucune question. Et je n'en ai pas l'intention. Si je le fais, elle se mettra à sucer son pouce en prenant son air de ne pas y toucher.

— J'ai fait sa connaissance dans le hall, dis-je. Elle m'a fait le coup aussi. Et puis elle a essayé de s'asseoir sur mes genoux.

Rien ne bougea sur son visage. Ses mains croisées reposaient tranquillement sur le bord de la couverture. Et la chaleur, dans laquelle je mijotais comme un vrai pot-au-feu, ne semblait même pas le réchauffer.

— Dois-je rester poli? demandai-je. Ou puis-je simplement me montrer naturel?

— Je n'ai pas remarqué que vous souffriez d'aucune inhibition, monsieur Marlowe.

— Vos deux filles ont-elles l'habitude d'être ensemble?

— Je crois que non. J'ai l'impression qu'elles vont à leur perte, séparément, par des routes légèrement divergentes. Vivian est gâtée, exigeante, intelligente et parfaitement impitoyable. Carmen est une enfant qui aime arracher les ailes aux mouches. Ni l'une ni l'autre n'ont plus de sens moral qu'une chatte. Ni moi non plus. Aucun Sternwood n'en a jamais eu. Continuez.

— Elles ont reçu une bonne éducation, je suppose. Elles savent ce qu'elles font.

— Vivian a fréquenté les bonnes écoles du genre snob et l'Université. Carmen a fait une douzaine d'écoles, de plus en plus libérales, et elle a abouti au point d'où elle est partie. Je suppose qu'elles ont eu, toutes deux, et qu'elles ont encore tous les vices habituels. Si je vous semble un peu sinistre comme père, monsieur Marlowe, c'est parce que le lien qui me rattache à la vie est si frêle que je peux me permettre d'éviter l'hypocrisie victorienne.

Il reposa sa tête en arrière et ferma les yeux, puis les rouvrit tout à coup.

— Je n'ai pas besoin d'ajouter que l'homme qui a la faiblesse de devenir père pour la première fois à l'âge de cinquante-quatre ans n'a que ce qu'il mérite.

Je bus une gorgée et approuvai d'un signe de tête. Sur son cou maigre et gris, le sang battait visiblement, et cependant si lentement qu'il ne semblait pas avoir de pouls. Un vieux type aux trois-quarts mort, et pourtant persuadé qu'il pouvait tenir le coup.

— Vos conclusions? lança-t-il soudain.

— Je paierais.

— Pourquoi?

— Il s'agit de choisir : un peu d'argent ou des tas d'embêtements. Il doit y avoir quelque chose derrière tout ça. Mais on ne risque pas de vous briser le cœur si ça ne vous est pas encore arrivé. Et il faudrait que les crapules s'y mettent à plusieurs et qu'elles y passent un bon bout de temps pour que vous puissiez remarquer qu'on vous a volé.

— J'ai de l'orgueil, monsieur, dit-il froidement.

— Il y a des gens qui comptent là-dessus. C'est le meilleur moyen de les coincer. Ça ou la police. Geiger peut parfaitement se faire payer ses reconnaissances, à moins que vous ne puissiez prouver que ce sont des faux. Au lieu de ça, il vous en fait cadeau, et admet que ce sont des dettes de jeu, ce qui vous procure un moyen de défense, même s'il les garde. Si c'est une crapule, il connaît son boulot, et si c'est un type honnête, un petit peu usurier à ses moments perdus, il a droit à son argent. Qui était ce Joe Brody à qui vous avez payé cinq mille dollars?

— Une espèce de joueur. Je m'en souviens à peine. Norris le saurait, mon valet de chambre.

— Vos filles ont-elles de l'argent à elles, général?

— Vivian, oui, mais pas énormément. Carmen est encore mineure, aux termes du testament de sa mère. Je leur sers à toutes deux de confortables mensualités.

— Je peux vous débarrasser de Geiger, général, dis-je, si c'est là ce que vous voulez. Quel qu'il soit et quels que soient ses atouts. Naturellement, ça vous coûtera un peu d'argent, en dehors de ce que vous me donnerez. Et naturellement, ça ne vous mènera à rien. Ça ne sert jamais à rien de les arroser. Vous êtes déjà inscrit sur leur liste de noms intéressants.

— Je vois.

Il haussa ses larges épaules pointues sous sa robe de chambre fanée.

— Il y a à peine une minute, vous me disiez de payer. Maintenant, vous m'annoncez que ça ne mènera à rien.

— Je veux dire que c'est à la fois moins cher et plus facile de vous laisser pressurer un peu. C'est tout.

— J'ai peur d'être un homme plutôt impatient, monsieur Marlowe. Quels sont vos prix?

— C'est vingt-cinq dollars par jour et mes frais, quand j'ai de la chance.

— Je vois. Ça me paraît un prix raisonnable, s'il s'agit d'extirper une tumeur maligne. Opération extrêmement délicate. Vous vous en doutez, je l'espère. Faites en sorte que le choc opératoire soit aussi léger que possible. Il risque d'y avoir plusieurs interventions chirurgicales.

Je finis mon deuxième verre et m'essuyai les lèvres et le visage. La chaleur ne me semblait pas moins forte après le cognac. Le général cligna des yeux dans ma direction et tira sur le bord de sa couverture.

— Puis-je régler l'affaire avec ce type, s'il me fait l'impression d'être à peu près régulier?

— Oui. L'affaire est maintenant entre vos mains. Je ne fais jamais les choses à moitié.

— Je vais vous en débarrasser, dis-je. Il aura l'impression qu'un pont lui est tombé sur le crâne.

— J'en suis persuadé. Et maintenant, je vous demanderai de m'excuser. Je suis fatigué.

Il tendit la main et toucha la sonnette aménagée sur le bras du fauteuil. Le fil s'enfonçait dans un câble noir qui se déroulait au long des grosses caisses vert foncé où s'épanouissaient les orchidées. Il ferma les yeux, les rouvrit, eut un regard fixe et brillant et reposa sa tête en arrière sur ses coussins. Ses paupières retombèrent et il ne m'accorda plus la moindre attention.

Je me levai, pris mon veston sur le dossier humide du fauteuil d'osier, m'éloignai parmi les orchidées, ouvris les deux portes et me retrouvai dehors; je respirai un peu d'oxygène dans l'air vivifiant d'octobre. Le chauffeur occupé devant le garage était parti. Le valet de chambre s'avançait à pas légers et silencieux, le long du sentier rouge, le dos aussi raide qu'une planche à repasser. J'enfilai mon veston et le regardai venir.

Il s'arrêta à deux pas de moi et me dit gravement :

— Mme Regan désirerait vous voir avant que vous ne partiez, monsieur. Quant à la question d'argent, le général m'a donné des ordres pour que je vous fasse un chèque à votre convenance.

— Des ordres? Comment s'y est-il pris?

Il eut l'air surpris puis il sourit :

— Ah! je vois, monsieur. Bien sûr, vous êtes détective. Ses ordres, c'était le coup de sonnette.

— Vous faites ses chèques?

— J'ai ce privilège.

— Ça devrait pouvoir vous éviter de finir dans la fosse commune. Pas d'argent pour le moment, merci. A quel sujet Mme Regan veut-elle me voir?

Ses yeux bleus me jetèrent un regard calme et assuré.

— Elle se fait une idée erronée de l'objet de votre visite, monsieur.

— Qui lui a dit quelque chose de ma visite?

— Ses fenêtres donnent sur la serre. Elle nous a vus y entrer. J'ai été obligé de lui dire qui vous étiez.

— Je n'aime pas ça, dis-je.

Ses yeux bleus se glacèrent :

— Essaieriez-vous de m'apprendre mes devoirs, monsieur?

— Non. Mais je m'amuse comme un petit fou à essayer de comprendre en quoi ils consistent.

Pendant un instant, nous nous regardâmes fixement. Ses yeux bleus lancèrent un éclair, puis il tourna les talons.

CHAPITRE III

Cette pièce était trop grande, le plafond trop haut, les portes aussi, et le tapis blanc qui couvrait le parquet d'un mur à l'autre ressemblait à une couche de neige fraîchement tombée sur les bords du lac Arrowhead. Il y avait un peu partout des longs miroirs où l'on se voyait en entier et des tas de trucs en cristal. Le mobilier ivoire était orné de chrome, et d'immenses tentures ivoire retombaient sur le tapis blanc, à un mètre des fenêtres. Le blanc rendait l'ivoire sale par contraste et l'ivoire rendait le blanc cadavérique. Les fenêtres s'ouvraient sur la ligne des collines qui s'assombrissaient. Il allait bientôt pleuvoir. L'air était déjà lourd.

Je me piquai au bord d'un fauteuil doux et profond et regardai Mme Regan. Elle en valait la peine. Elle n'avait pas l'air de tout repos. Elle était étendue sur une chaise longue de style moderne et elle avait enlevé ses sandales, de sorte que je pouvais contempler ses jambes gainées de bas excessivement fins. Apparemment, leur propriétaire désirait attirer l'attention sur elles. L'une était exposée jusqu'au genou, et l'autre encore plus haut. Des genoux ronds, ni osseux ni pointus. Des mollets splendides, des chevilles longues et fines et d'une ligne si mélodique qu'on songeait à un poème mis en musique. Elle était grande, bien découplée, puissante. Elle appuyait sa tête contre un coussin de satin ivoire. Sa chevelure noire et drue était séparée par une raie médiane et elle avait les yeux noirs et brûlants du portrait dans le hall. La bouche était généreuse, le menton important. Ses lèvres tombaient aux commissures avec un pli morose et la lèvre inférieure était pleine.

Elle tenait un verre. Elle avala une gorgée et me jeta par-dessus le bord du verre un regard ferme et froid.

— Ainsi, vous êtes un détective privé, dit-elle. Je ne savais pas que ça existait vraiment, sauf dans les livres. Ou alors ce sont de petits hommes crasseux qui passent leur temps à fureter dans les hôtels.

Rien pour moi là-dedans; je laissai couler. Elle reposa son verre sur le bras de la chaise longue, fit étinceler une émeraude et rectifia ses cheveux. Elle dit lentement :

— Comment trouvez-vous papa?

— Il m'a plu, dis-je.

— Il aimait beaucoup Rusty. Vous savez qui est Rusty, je suppose?

— Voui.

— Rusty était grossier, parfois vulgaire, mais très vivant. Et c'était une grosse distraction pour papa. Rusty n'aurait pas dû partir de cette façon. Papa en a été affecté, bien qu'il ne veuille pas l'admettre. Ou peut-être vous l'a-t-il dit?

— Il m'en a parlé.

— Vous n'êtes pas très expansif, monsieur Marlowe! Mais il cherche à le retrouver, n'est-ce pas?

Je la contemplai poliment pendant un instant de silence.

— Oui et non, dis-je.

— On ne peut guère appeler ça une réponse. Croyez-vous pouvoir le trouver?

— Je n'ai pas dit que j'allais essayer. Pourquoi ne vous adressez-vous pas au Bureau des Disparus? Ils sont organisés pour ça. Ce n'est pas un boulot pour un seul homme.

— Oh! papa ne veut pas entendre parler d'une intervention de la police.

Encore une fois, calmement, elle me regarda par-dessus son verre, le vida et appuya sur une sonnette. Une femme de chambre entra dans la pièce par une porte latérale. C'était une femme entre deux âges, dotée d'une longue figure jaune et douce, d'un long nez, d'un menton inexistant et de grands yeux humides. Elle ressemblait à un vieux cheval qu'on aurait renvoyé au pâturage après une longue vie de labeur. Mme Regan tendit le verre vide dans sa direction; elle lui prépara un autre mélange, le lui rendit et quitta la pièce sans mot dire et sans me regarder.

Quand la porte fut fermée, Mme Regan reprit :

— Alors, comment allez-vous procéder?

— Comment et quand s'est-il envolé?

— Papa ne vous a pas raconté?

Je lui souris en penchant la tête d'un air mystérieux. Elle rougit. Ses yeux noirs s'emplirent de colère.

— Je ne vois pas la raison de ces cachotteries, aboya-t-elle. Et je n'aime pas vos façons.

— Je ne suis pas fou des vôtres non plus, dis-je. C'est pas moi qui ai demandé à vous voir. C'est vous qui m'avez envoyé chercher. Vous pouvez me snober et déjeuner d'une bouteille de scotch, ça m'est égal; ça m'est égal que vous me montriez vos jambes. Elles sont ravissantes et je suis très heureux de faire leur connaissance. Et ça m'est égal que vous n'aimiez pas mes façons. Elles sont plutôt minables et ça fait mon désespoir pendant les longues soirées d'hiver. Mais vous perdez votre temps si vous espérez me tirer les vers du nez.

Elle reposa son verre si brutalement que le liquide jaillit sur un coussin ivoire. Elle se remit debout d'un coup de reins; ses yeux crachaient du feu et ses narines palpitaient. Sa bouche s'était ouverte et je vis luire ses dents brillantes. Ses phalanges avaient blanchi.

— Ce n'est pas sur ce ton qu'on me parle, dit-elle d'une voix intense.

Je restai assis et lui souris. Très lentement, elle ferma la bouche et regarda l'alcool répandu. Elle s'assit au bord du lit de repos et posa son menton dans sa main.

— Espèce de belle gueule de brute... je devrais vous flanquer une Buick à la figure.

Je grattai une allumette sur l'ongle de mon pouce et, par miracle, elle s'alluma. J'exhalai une bouffée et j'attendis.

— Je déteste les gens trop sûrs d'eux, dit-elle. Je les ai en horreur.

— Qu'est-ce qui vous fait peur, au juste, madame Regan?

Ses yeux s'éclairèrent, puis ils s'assombrirent, et leurs pupilles parurent en dévorer tout l'iris. Ses narines se pincèrent.

— En somme, ce n'est pas du tout de ça qu'il voulait vous parler, dit-elle d'une voix tendue qui conservait encore quelques traces de rage. Je veux dire de Rusty. Je me trompe?

— Demandez-le-lui.

Elle explosa de nouveau.

— Allez-vous-en! Sacré nom, allez-vous-en!

Je me levai.

— Asseyez-vous, aboya-t-elle.

Je m'assis. Je tapotai, de l'index, la paume de mon autre main et j'attendis.

— Je vous en prie, dit-elle. Je vous en prie. Vous pourriez trouver Rusty... si papa vous le demandait?

Ça ne marcha pas non plus. J'acquiesçai et lui demandai :

— Quand est-il parti?

— Un après-midi, il y a un mois. Il a filé dans sa voiture sans rien dire à personne. On a retrouvé la voiture quelque part dans un garage.

— On?

Elle prit un air rusé. Tout son corps se détendit. Puis elle sourit, triomphante :

— Donc, il ne vous l'a pas dit.

Sa voix était presque joyeuse, comme si elle venait de m'avoir. C'était peut-être vrai.

— Il m'a parlé de M. Regan, effectivement. Ce n'est pas pour ça qu'il m'avait convoqué. C'est ça que vous étiez en train d'essayer de me faire dire?

— Je me fiche pas mal de ce que vous dites.

De nouveau, je me levai.

— Alors, je m'en vais.

Elle ne souffla mot. Je regagnai la haute porte blanche par laquelle j'étais entré. Quand je regardai en arrière, elle avait pris sa lèvre inférieure entre ses dents et la tiraillait comme un jeune chien qui mordille les franges d'un tapis.

Je sortis, redescendis l'escalier carrelé jusqu'au hall et le domestique surgit de nulle part! Il me tendit mon chapeau, que je mis tandis qu'il m'ouvrait la porte.

— Vous vous êtes trompé, dis-je. Mme Regan ne tenait pas à me voir.

Il hocha sa tête argentée et dit avec courtoisie :

— Je suis désolé, monsieur. Je me trompe souvent.

Il ferma la porte derrière moi.

Je m'attardai sur le perron; j'aspirai la fumée de ma cigarette et contemplai la suite de terrasses ornées de massifs et d'arbres taillés qui s'étageaient jusqu'à la haute grille de fer aux pointes dorées qui clôturait la propriété. Une allée serpentait entre les murs de soutènement jusqu'aux portes grandes ouvertes. Par-delà la grille, la colline s'abaissait sur plusieurs kilomètres. Au bas de la pente, effacés et lointains, j'apercevais quelques-uns des vieux derricks de bois du champ de pétrole qui avait fait la fortune des Sternwood. La plus grande partie du champ était maintenant un parc public, nettoyé et donné à la ville par le général Sternwood. Mais il restait encore un groupe de puits, dans un coin, qui continuait à produire cinq ou six barils par jour. Les Sternwood avaient émigré en haut de la colline et ne sentaient plus, désormais, l'huile ou l'eau croupie des puisards, mais ils pouvaient toujours se mettre à leurs fenêtres et contempler la source de leur richesse, s'ils en avaient envie. Ça m'aurait étonné qu'ils en eussent envie.

De terrasse en terrasse, je descendis un sentier dallé de briques, longeai l'intérieur de la clôture et arrivai ainsi aux portes devant lesquelles j'avais laissé ma voiture, sous un poivrier, dans la rue. Le tonnerre éclatait maintenant sur les collines et, au-dessus d'elles, le ciel virait au violet sombre. Il allait pleuvoir dur. L'air avait l'avant-goût humide de la pluie. Je remontai le toit de ma décapotable avant de repartir pour la ville.

Elle avait de jolies jambes. Je ne pouvais pas lui refuser ça. C'était un couple de citoyens d'une douceur charmante, elle et son père. Il devait probablement me mettre à l'épreuve, le travail qu'il m'avait donné était un boulot d'avoué. Même si M. Arthur Gwynn Geiger, livres rares et éditions de luxe, se révélait un maître chanteur, c'était quand même un boulot d'avoué. A moins qu'il n'y ait là-dessous beaucoup plus de choses qu'il n'y paraissait. A première vue, j'eus l'impression que j'allais bien m'amuser à démêler cette affaire.

Je me rendis à la bibliothèque publique de Hollywood et fis quelques petites recherches sommaires dans un gros bouquin intitulé *Editions originales célèbres*. Une demi-heure de ce boulot me donna de l'appétit.

CHAPITRE IV

Geiger tenait boutique du côté nord du boulevard près de Las Palmas. La porte d'entrée s'ouvrait dans un profond renfoncement au milieu des vitrines bordées de cuivre et que masquaient des paravents chinois, de telle sorte que je ne pus regarder dans la boutique. Il y avait pas mal de bric-à-brac oriental à l'étalage. J'ignorais si c'était du toc, n'étant pas collectionneur d'antiquités, si l'on excepte les factures impayées. La porte d'entrée était constituée par une glace sans tain, mais je ne vis rien tout de même car la boutique était très sombre. D'un côté se trouvait l'entrée de l'immeuble, de l'autre une scintillante bijouterie à crédit. Le bijoutier, debout devant sa porte, se balançait; il avait l'air de s'embêter : un beau grand type à cheveux blancs dans un costume noir bien coupé, qui arborait à peu près neuf carats de diamant à la main droite. Un léger sourire complice détendit ses lèvres quand j'entrai dans la boutique de Geiger. Je laissai la porte se fermer doucement derrière moi et m'enfonçai dans un épais tapis bleu qui couvrait le plancher d'un mur à l'autre. J'avisai des fauteuils confortables de cuir bleu, séparés par des tables de fumeur. Quelques reliures de cuir ouvragé disposées sur des tables étroites et brillantes, entre des serre-livres. Dans des vitrines de glace, sur les murs, se trouvaient d'autres reliures analogues. Belle marchandise; le genre de trucs qu'un riche financier achète au mètre après avoir embauché un aide pour y coller son *Ex-Libris*. Le fond de la boutique était constitué par une cloison de bois veiné. Une porte fermée en occupait le milieu. Dans l'angle formé par la cloison et un des murs, j'aperçus une femme, assise derrière un petit bureau, où se dressait une lanterne de bois sculpté.

Elle se leva lentement et s'approcha en ondulant dans sa robe noire collante de tissu mat. Elle avait de longues cuisses et elle marchait avec un certain petit air que j'avais rarement remarqué chez les libraires. Elle était blond cendré, les yeux gris, les cils faits, ses cheveux en vagues arrondies découvraient des oreilles où brillaient de gros boutons de jais. Ses ongles étaient argentés. Malgré son attirail, elle devait être beaucoup mieux sur le dos.

Elle s'approcha de moi en déployant un sex-appeal capable d'obliger un homme d'affaires à restituer son déjeuner, et, secouant sa tête, remit en place une boucle de cheveux doux et brillants... pas très dérangée d'ailleurs. Elle eut un sourire hésitant qu'on n'aurait pas eu de mal à rendre aimable.

— C'est pourquoi? demanda-t-elle.

J'avais mis mes lunettes fumées à monture d'écaille. Je pris une voix de tête assez voisine du gazouillis d'un oiseau.

— Auriez-vous un Ben-Hur 1860?

Elle ne dit pas : quoi? mais ce fut tout juste. Elle eut un sourire insignifiant :

— Une originale?

— Troisième édition, dis-je. Celle où il y a un erratum à la page 116.

— Je crains que non... pour le moment.

— Et un Chevalier Audubon 1840 — toute la série, naturellement?

— Heu... pas pour l'instant, ronronna-t-elle d'une voix revêche.

Son sourire ne tenait plus que par les dents et les sourcils et se demandait sur quoi il allait tomber en se décrochant.

— Vous vendez des livres? demandai-je de mon fausset plein d'urbanité.

Elle me toisa. Plus de sourire. Yeux presque durs. Attitude cérémonieuse et raide. Elle pointa des ongles argentés vers les étagères de glace.

— Qu'est-ce que c'est, d'après vous? Des pamplemousses? demanda-t-elle sèchement.

— Oh! Ces choses-là ne m'intéressent guère, voyez-vous. Probablement des seconds tirages de gravures sur acier, colorées au rabais, ce qu'il y a d'ordinaire... la vulgarité habituelle... Non, je regrette, non.

— Je vois.

Elle essaya de récupérer son sourire. Elle était aussi pénible qu'un greffier affligé des oreillons.

— Peut-être M. Geiger... mais il n'est pas ici pour le moment.

Ses yeux me scrutèrent. Elle se connaissait autant aux livres rares que moi au dressage des puces.

— Reviendra-t-il tout à l'heure?

— J'ai peur qu'il ne revienne très tard...

— Bien ennuyeux, dis-je. Ah! c'est bien ennuyeux. Je vais m'asseoir et fumer une cigarette dans un de ces fauteuils. Je n'ai rien à faire tantôt... Rien qui m'occupe excepté ma leçon de trigonométrie.

— Oui, dit-elle. Oui... naturellement.

Je m'installai dans un des fauteuils et allumai une cigarette à l'aide du briquet rond de nickel posé sur la table de fumeur. Elle restait debout, mordait sa lèvre inférieure, les yeux vaguement inquiets. Elle hocha la tête enfin, se retourna lentement et revint à son petit bureau retiré. De derrière la lampe, elle me regarda. Je croisai mes chevilles et bâillai. Ses ongles d'argent faillirent saisir le téléphone, puis retombèrent et se mirent à pianoter sur le bureau.

Cinq minutes de silence. La porte s'ouvrit et un long oiseau maigre, l'air affamé, pourvu d'une canne et d'un grand nez, entra prestement, ferma la porte derrière lui malgré la pression du blount, alla jusqu'au bureau sur lequel il déposa un paquet. Il tira de sa poche un portefeuille à coins d'or et montra quelque chose à la blonde. Elle appuya sur un bouton. Le long maigre gagna la porte de la cloison et l'ouvrit juste assez pour s'y glisser.

Je terminai ma cigarette et en allumai une autre. Les minutes se traînèrent. Des klaxons beuglèrent et grognèrent sur le boulevard. Un gros autobus rouge interurbain vrombit et passa. La blonde s'appuya sur son coude, mit une main au-dessus de ses yeux et m'examina. La porte de la cloison s'ouvrit et le grand oiseau à la canne se faufila. Il portait un autre paquet, qui avait l'aspect d'un gros livre. Il gagna le bureau et donna de l'argent. Il s'en alla comme il était venu, sur la pointe des pieds; il respirait la bouche ouverte et me lança un regard aigu en passant devant moi.

Je me levai, touchai mon chapeau à l'adresse de la blonde et sortis derrière lui. Il tourna à l'ouest en balançant sa canne en un arc étroit juste au-dessus de son soulier droit. Il était facile à suivre. Son manteau était taillé dans un morceau de couverture de cheval, plutôt tapageur, aux épaules si larges que son cou ressemblait à une tige de céleri au bout de laquelle sa tête oscillait au rythme de sa marche. Nous marchâmes pendant une centaine de mètres. Au feu rouge de Highland Avenue, je me portai à sa hauteur et m'arrangeai pour qu'il me voie. Il me regarda d'abord distraitement, puis d'un œil acéré, et se détourna aussitôt. Nous traversâmes Highland à la faveur du feu vert et marchâmes pendant une cinquantaine de mètres. Il actionnait ses longues pattes et il avait vingt mètres d'avance sur moi en arrivant au carrefour. Il tourna à droite. Après avoir remonté la colline pendant trente mètres, il s'arrêta, fourra sa canne sous son bras et fouilla dans une poche intérieure d'où il sortit un étui à cigarettes en cuir. Il mit une cigarette dans sa bouche, laissa tomber l'allumette, regarda derrière lui en la ramassant, me vit qui le guettais depuis le coin de la rue et se redressa comme si on venait de lui botter le derrière. Il remonta la rue à longues enjambées désarticulées, si vite qu'il en laissait presque un nuage de poussière derrière lui, tout en poignardant le trottoir à grands coups de canne. De nouveau, il tourna à gauche. Il avait au moins trente mètres d'avance sur moi quand j'atteignis l'endroit où il avait tourné. Il m'avait fait souffler. La rue était étroite, bordée d'arbres; je notai un mur de soutènement d'un côté et trois petites allées privées de l'autre.

Il avait disparu. Je me traînai le long de la rue en regardant à droite et à gauche.

A la seconde allée, je vis quelque chose. Ça s'appelait « La Baba », un petit coin tranquille où s'élevait une double rangée de maisonnettes à l'ombre des arbres. L'allée centrale était bordée de cyprès d'Italie taillés courts et mastocs, un peu de la forme des grandes jarres d'huile dans Ali Baba et les quarante voleurs. Derrière la troisième jarre, un coin de manche au dessin tapageur s'agita. Je m'appuyai contre un poivrier du chemin et j'attendis. Le tonnerre grondait de nouveau sur les collines. La lueur des éclairs se réfléchissait sur les couches de nuages noirs entassés vers le sud. Quelques gouttes hésitantes s'écrasèrent sur le trottoir et firent des ronds grands comme des pièces de vingt sous. L'air était aussi immobile que dans la serre à orchidées du général Sternwood.

La manche apparut de nouveau derrière l'arbre; puis un grand nez, un œil, et quelques cheveux couleur sable, sans chapeau. L'œil me scruta. Il disparut. Son frère jumeau réapparut comme un pivert de l'autre côté de l'arbre. Cinq minutes passèrent. Elles l'achevèrent. Ce genre de types est à moitié nerfs. J'entendis gratter une allumette et on se mit à siffloter. Puis une ombre vague glissa sur l'herbe jusqu'à l'arbre suivant. Puis il sortit dans l'allée; il venait droit sur moi en balançant sa canne et en sifflotant. Un sifflotement aigre, un peu grelottant. Je regardai distraitement le ciel noir. Il passa à trois mètres de moi et ne m'accorda pas un regard. Il était tranquille, maintenant. Il l'avait caché.

Je le regardai disparaître, pris l'allée centrale de « La Baba » et écartai les branches du troisième cyprès. J'en sortis un livre enveloppé, le glissai sous mon bras et m'en allai. Personne ne me rappela.

CHAPITRE V

De retour sur le boulevard, j'entrai dans la cabine téléphonique d'un drugstore et cherchai l'adresse de M. Arthur Gwynn Geiger. Il habitait Laverne Terrace, une rue à flanc de colline au-dessus de Laurel Canyon Boulevard. Je glissai ma pièce dans la fente et composai le numéro, histoire de voir. Personne ne répondit. Je rouvris l'annuaire au classement par professions et relevai deux librairies pas très loin de l'endroit où j'étais.

La première à laquelle j'arrivai était située côté nord, un grand rez-de-chaussée dévolu à la papeterie et aux fournitures de bureau, des tas de livres au premier étage. Ça ne paraissait pas être l'endroit voulu. Je traversai la rue et gagnai la seconde, à deux rues vers l'est. C'était plutôt ça, une petite boutique en désordre encombrée de livres du plancher au plafond, avec quatre ou cinq pignocheurs qui prenaient tout leur temps et souillaient les couvertures neuves de marques de doigts.

Personne ne faisait attention à eux. Je pénétrai dans la boutique, franchis une cloison de séparation et découvris une petite femme brune plongée dans un gros bouquin de droit.

Je collai mon portefeuille ouvert sur le bureau et mis en évidence l'étoile épinglée derrière. Elle la regarda, enleva ses lunettes et se renversa sur son dossier. Je fis disparaître le portefeuille. Elle avait les traits fins d'une Juive intelligente. Elle me regarda sans mot dire.

Je demandai :

— Pourriez-vous me rendre un service... un tout petit service?

— Je ne sais pas. De quoi s'agit-il?

Elle avait une voix douce et un peu voilée.

— Vous connaissez la boutique de Geiger, en face et à deux rues à l'ouest?

— Peut-être suis-je passée devant...

— C'est une librairie, dis-je. Pas votre genre. Vous le savez bougrement bien...

Ses lèvres esquissèrent un sourire et elle ne répondit pas.

— Vous connaissez Geiger de vue? demandai-je.

— Je regrette. Je ne connais pas M. Geiger.

— Alors vous ne pouvez pas me dire à quoi il ressemble?

Le sourire s'accentua :

— Pourquoi le ferais-je?

— Aucune raison. Si vous ne voulez pas, je ne peux pas vous forcer.

Elle regarda par la porte de la séparation et reprit sa place.

— C'était une étoile de shérif, non?

— Shérif honoraire. Ça ne veut rien dire du tout. Ça vaut peau de balle.

— Je vois.

Elle atteignit un paquet de cigarettes, en libéra une d'un petit coup sec et la prit entre ses lèvres. Je lui présentai une allumette. Elle me remercia, se renversa de nouveau en arrière et me dévisagea à travers la fumée. Elle dit lentement :

— Vous voulez savoir de quoi il a l'air et vous n'avez pas envie de l'interroger?

— Il n'est pas là, dis-je.

— Je suppose qu'il y sera. Après tout, c'est son magasin.

— J'ai pas envie de l'interroger maintenant, dis-je.

Elle regarda une seconde fois par la porte ouverte.

Je repris :

— Vous vous y connaissez en livres rares?

— Mettez-moi à l'épreuve.

— Est-ce que vous auriez un Ben Hur 1860, 3e édition, celle qui a un erratum à la page 116?

Elle repoussa son livre de droit et atteignit un gros volume sur le bureau, le feuilleta, trouva la page et la scruta.

— Personne n'en a, dit-elle sans relever le nez. Ça n'existe pas.

— Exact.

— A quoi diable voulez-vous en venir?

— La fille de la boutique de Geiger ne savait pas ça.

Elle releva le nez.

— Je vois. Vous m'intéressez... plus ou moins...

— Je suis détective privé. Je travaille sur une affaire. Peut-être que je vous en demande trop. Ça ne m'avait pas semblé énorme, pourtant.

Elle exhala un anneau de fumée grise et passa son doigt dedans. Il s'effilocha en rubans légers.

Elle parla doucement, d'une voix indifférente :

— La quarantaine, à vue de nez. Taille moyenne, plutôt gras. Doit peser dans les soixante-quinze kilos. Figure grasse, moustache à la Charlie Chan, cou épais et mou. Mou de partout. Bien habillé, sort sans chapeau, prétend s'y connaître en antiquités et n'y connaît rien. Ah! oui. Son œil gauche, en verre.

— Vous auriez fait un bon flic, dis-je.

Elle reposa le manuel sur une étagère au bout de son bureau et rouvrit le livre de droit posé devant elle.

— J'espère que non, dit-elle.

Elle remit ses lunettes.

Je la remerciai et sortis. Il pleuvait. Je courus, le livre sous mon bras. Ma voiture était dans une rue latérale qui donnait sur le boulevard presque en face de la boutique de Geiger. Je pris une bonne douche avant d'y arriver. Je m'engouffrai dans la voiture, remontai les deux glaces et essuyai mon paquet avec mon mouchoir. Et puis je l'ouvris.

Naturellement, je me doutais de ce que j'allais y trouver. Un gros livre, bien relié, bien imprimé, composé à la main sur du beau papier. Truffé de photos artistiques en hors-texte. Les photos et le texte étaient identiques et d'une ordure indescriptible. Le livre n'était pas neuf. Des dates étaient marquées au tampon sur la page de garde de tête. Des dates d'entrée et de sortie. C'était un livre d'abonnement. Une bibliothèque de pornographie en location.

Je le remis dans son enveloppe et le posai derrière le siège. Une affaire comme celle-là, au grand jour sur le boulevard, ça voulait dire pas mal de protections. Je passai un bout de temps à m'intoxiquer de fumée de cigarette, à écouter la pluie et à réfléchir.

CHAPITRE VI

La pluie emplissait les ruisseaux et giclait sur le trottoir à hauteur de genou. Des gros flics dans des imperméables qui brillaient comme des canons de fusil se payaient du bon temps à transporter des filles glousantes dans les endroits dangereux. La pluie tapait dur sur le toit de la voiture et la capote de toile se mit à fuir. Une mare d'eau se forma sur le plancher pour me permettre de prendre un bain de pieds. L'automne n'était pas encore assez avancé pour ce genre de pluie. Je me débattis pour enfiler mon trench-coat, me ruai jusqu'au drugstore le plus proche et m'achetai une bouteille de whisky. De retour dans la voiture, j'en absorbai de quoi me réchauffer et me réveiller l'esprit. J'avais dépassé le temps de stationnement depuis longtemps, mais les flics étaient trop occupés à trimbaler les filles et à siffler pour se soucier de ça.

Malgré la pluie, ou peut-être à cause d'elle, ça travaillait bien chez Geiger. De très jolies voitures s'arrêtaient devant et des gens très bien entraient et ressortaient avec des paquets. Tous n'étaient pas des hommes.

Lui-même se montra vers quatre heures. Un coupé crème s'arrêta devant la boutique et j'entrevis la figure grasse et la moustache de Charlie Chan lorsqu'il s'élança de la voiture pour entrer dans la boutique. Il n'avait pas de chapeau et portait un imperméable de cuir vert à ceinture. A cette distance, je ne pus distinguer son œil de verre.

Un grand adolescent bien balancé, en blouson, sortit de la boutique, alla garer le coupé au carrefour et revint à pied; la pluie plaquait ses cheveux luisants.

Une autre heure s'écoula. Il faisait moins clair et les lumières des boutiques entourées d'un halo de pluie commençaient à se noyer dans la rue noire. Les cloches des tramways tintaient. Vers cinq heures et quart, le grand garçon en blouson sortit de la boutique de Geiger armé d'un parapluie et alla chercher le coupé crème. Quand il l'eut amené devant la boutique, Geiger sortit et le garçon tint le parapluie au-dessus de sa tête découverte. Il le plia, le secoua et le fourra dans la voiture. Il fonça de nouveau dans la boutique. Je mis mon moteur en marche.

Le coupé partit en direction de l'ouest, ce qui m'obligea à tourner à gauche [1] et à me créer des tas d'ennuis, y compris un chauffeur qui sortit sa tête sous la pluie pour me hurler de descendre. J'avais cent mètres de retard sur le coupé quand je pus m'y mettre sérieusement. J'espérais que Geiger rentrait chez lui. Je l'entrevis deux ou trois fois et le rejoignis au moment où il tournait vers le nord dans Laurel Canyon Drive. A mi-pente, il vira à gauche et prit un ruban courbe de béton humide que l'on appelait Laverne Terrace. C'était une rue étroite bordée d'un haut talus d'un côté et de petites maisons genre chalets éparpillés sur la pente de l'autre côté, si bien que leurs toits étaient à peine au-dessus du niveau de la route. Leurs fenêtres de façade étaient masquées par des haies et des arbustes. Des arbres trempés ruisselaient dans tout le paysage.

Geiger avait allumé ses phares, pas moi. J'accélérai et le doublai dans la courbe; je relevai le numéro d'une maison en la dépassant et tournai à l'extrémité du block. Il était déjà arrêté, les phares de sa voiture braqués sur le garage d'une petite maison dotée d'une

1. Dans certains quartiers de Los Angeles et dans certaines villes des U.S.A., les règlements de la circulation interdisent de tourner à gauche — sorte d'extension à l'échelle urbaine du sens giratoire. (N.d.T.)

haie carrée disposée de telle sorte qu'elle masquait complètement la porte d'entrée. Je le regardai sortir du garage avec son parapluie et entrer à travers la haie. Il ne se comportait pas comme s'il s'était su suivi. De la lumière s'alluma dans la maison. Je redescendis jusqu'au chalet qui précédait le sien, qui paraissait vide mais n'avait pas de pancarte. Je garai, aérai la voiture, bus un coup à ma bouteille, et attendis. Je ne savais pas ce que j'attendais, mais quelque chose me disait d'attendre. Une nouvelle série de minutes paresseuses se traîna lentement.

Deux voitures montèrent la colline et dépassèrent la crête. La rue avait l'air tranquille. Peu après six heures, d'autres lumières éblouissantes cahotèrent dans la pluie battante. Il faisait nuit noire maintenant. Une voiture s'arrêta lentement devant chez Geiger. Les filaments de ses lampes luirent doucement et s'éteignirent. La porte s'ouvrit et une femme sortit. Une petite femme mince qui portait un vieux feutre et un imperméable transparent. Elle franchit le labyrinthe de la haie. Une cloche tinta faiblement à travers la pluie, une porte se ferma puis ce fut le silence.

Je pris une torche électrique dans la poche de ma bagnole, descendis la pente et examinai la voiture. C'était une Packard décapotable, marron ou brun foncé. La glace gauche était baissée. Je cherchai la plaque de propriétaire et braquai ma torche dessus. Le nom était : Carmen Sternwood, 3765 Alta Brea Crescent, West Hollywood. Je revins à ma voiture, me rassis et attendis. L'eau s'égouttait sur mes genoux et le whisky flambait dans mon estomac. Plus de voitures, pas de lumière dans la maison devant laquelle j'étais garé. C'était vraiment un coin pour y cultiver de mauvaises mœurs.

A sept heures vingt, une onde unique de dure lumière blanche explosa dans la maison de Geiger comme un éclair de chaleur. Comme l'ombre se refermait sur elle pour l'engloutir, un faible cri résonna et se perdit dans les arbres ruisselants. Je sortis de la voiture avant que son écho ne s'éteigne.

Ce n'était pas un cri de terreur. Il avait la résonance

d'une émotion presque agréable, un accent de saoulographie, une teinte de crétinisme pur. C'était un bruit dégueulasse. Ça me fit penser à des hommes en blanc, des fenêtres cadenassées et des lits durs et étroits avec des bracelets de cuir pour les chevilles et les poignets. La tanière de Geiger était de nouveau parfaitement silencieuse lorsque j'atteignis la porte de la haie et fonçai pour contourner l'angle qui masquait la porte d'entrée. Un anneau de fer dans une gueule de lion servait de heurtoir. Je tendis la main, la saisis. A cet instant exact, comme si quelqu'un avait attendu ce signal, trois coups de feu éclatèrent dans la maison. Il y eut un son qui était peut-être un long soupir rauque. Puis un bruit mou et déplaisant. Et puis des pas rapides dans la maison... qui s'éloignaient.

La porte s'ouvrait sur un passage étroit, telle une passerelle au-dessus d'un fossé, qui franchissait l'espace entre le mur de la maison et l'angle du talus. Il n'y avait pas de porche, pas de chemin, pas de moyen de faire le tour par-derrière. L'entrée de derrière était en haut d'une volée de marches de bois qui aboutissaient à la rue, ou plutôt la ruelle qui se trouvait plus bas. Je le compris en entendant le martèlement des pieds qui descendaient. Puis j'entendis le ronflement subit d'une voiture qui démarrait. Il diminua rapidement à mesure qu'elle s'éloignait. J'eus l'impression que le bruit d'une autre voiture lui faisait écho, mais je n'en fus pas sûr. La maison, devant moi, était aussi tranquille qu'un sépulcre. Aucun mouvement perceptible.

J'enjambai la rampe qui bordait la passerelle, me penchai profondément vers la fenêtre à la française qui avait des rideaux mais pas de jalousie, et tentai de regarder dans la maison entre la fente des rideaux. Je vis de la lumière sur un mur et l'extrémité d'une bibliothèque. Je revins à la passerelle, pris mon élan à partir de la haie dans laquelle je m'enfonçai et j'essayai le coup du bélier sur la porte d'entrée. C'était idiot. Le seul élément d'une maison californienne qu'on ne puisse pas ouvrir d'un coup de pied est la porte d'entrée. Ça n'aboutit qu'à me faire mal à l'épaule et à me rendre furieux. J'escaladai la rampe une seconde fois, flanquai mon pied dans la fenêtre et, me servant de mon chapeau comme d'un gant, retirai la plus grande partie du petit carreau inférieur. Je pouvais maintenant y passer la main et saisir le verrou qui maintenait la fenêtre contre l'appui. Le reste était facile. Il n'y avait pas de verrou en haut. La prise réussit. Je grimpai et écartai les rideaux de ma figure.

Aucune des deux personnes qui se trouvaient dans la pièce ne fit attention à la façon dont j'entrais; pourtant, une seule d'entre elles était morte.

CHAPITRE VII

C'était une grande pièce qui occupait toute la largeur de la maison. Elle avait un plafond bas à poutres apparentes et des murs de plâtre marron ornés de panneaux de broderie chinoise et d'estampes chinoises et japonaises dans des cadres de bois veiné. Des étagères basses et chargées de livres, un épais tapis chinois rosâtre dans lequel une taupe aurait pu passer une semaine sans que son nez dépasse les poils. Il y avait des coussins sur le parquet, ornés de rubans de soie, comme si l'habitant des lieux éprouvait la nécessité d'en avoir toujours un morceau à tripoter. Il y avait un vaste divan bas de tapisserie vieux rose, recouvert d'un tas de vêtements, quelques sous-vêtements de soie lilas y compris. Une grande lampe sculptée sur un piédestal, deux autres lampadaires aux abat-jour jade et aux longues pendeloques.

Un bureau noir orné de gargouilles sculptées aux angles, et, derrière, un coussin de satin jaune sur un fauteuil noir de bois poli aux bras et au dossier sculptés. La chambre offrait un échantillonnage varié d'odeurs, dont les plus frappantes à cet instant me parurent être l'âcre relent de la cordite et l'arôme écœurant de l'éther.

Sur une sorte d'estrade basse, à un bout de la chambre, se trouvait un fauteuil de teck à haut dossier dans lequel Carmen Sternwood était assise, sur un châle orange à longues franges. Elle était assise très droite, les mains posées sur les bras du fauteuil, les genoux serrés, son corps roide observait la pose d'une déesse égyptienne; au-dessus de son menton haut, ses petites dents éclatantes luisaient entre ses lèvres entrouvertes. Ses yeux étaient grands ouverts. La couleur ardoise foncée de ses pupilles avait mangé ses iris. C'étaient les yeux de la folie. Elle semblait inconsciente, mais elle n'avait pas l'attitude de l'inconscience. On eût dit que, dans son esprit, elle faisait quelque chose de très important et qu'elle s'en tirait drôlement bien. De sa bouche sortait un petit gloussement qui ne modifiait pas son expression et ne faisait même pas remuer ses lèvres.

Elle portait une paire de longues boucles d'oreilles de jade. C'étaient de jolies boucles d'oreilles qui valaient sans doute dans les deux cents dollars. C'est tout ce qu'elle avait sur elle.

Elle possédait un joli corps, mince, élancé, compact, ferme et rond. Sa peau, sous la lumière de la lampe, avait le reflet lustré d'une perle. Ses jambes, quoique dépourvues de la grâce canaille de celles de Mme Regan, étaient de très jolies jambes. Je l'examinai du haut en bas sans la moindre gêne et sans la moindre excitation. Ce n'était pas une fille à poil que je reluquais dans cette pièce. Il n'y avait qu'une droguée. Pour moi, ce ne serait jamais qu'une droguée.

Cessant de la regarder, je me tournai vers Geiger. Il gisait sur le dos, près du bord du tapis chinois, devant un ustensile qui ressemblait à un totem. Ç'avait un profil d'aigle et l'œil rond grand ouvert était l'objectif d'un appareil photographique. L'objectif visait la fille nue sur le fauteuil. Une ampoule de magnésium brûlée était fixée sur le flanc du totem. Geiger portait des pantoufles chinoises à épaisses semelles de feutre; ses jambes emplissaient un pyjama de satin noir et la partie supérieure de son individu était revêtue d'une tunique chinoise brodée, au plastron presque entièrement couvert de sang. Son œil de verre luisait gaiement, c'était de loin ce qui subsistait de plus vivant en lui. A vue de nez, aucun des trois coups n'avait manqué son but. Il était tout ce qu'il y a de plus mort.

L'ampoule de magnésium était la source de l'éclair de chaleur que j'avais vu. Le cri dément, c'était le réflexe de la fille nue et droguée. Les trois coups de feu, c'était l'idée que se faisait une tierce personne du meilleur moyen de donner un tour nouveau aux événements. L'idée du gaillard qui avait descendu les marches de derrière pour monter dans une bagnole et filer. J'accordais une certaine valeur à son point de vue.

Deux verres fragiles et veinés d'or reposaient sur un plateau de laque rouge à l'extrémité du bureau noir, à côté d'un flacon pansu de liquide brun. J'enlevai le bouchon et reniflai. Ça sentait l'éther et quelque chose d'autre, peut-être du laudanum. Je n'avais jamais essayé le mélange mais ça me parut coller parfaitement avec le décor de la maison de Geiger.

J'écoutai la pluie qui frappait sur le toit et les fenêtres du nord. Pas d'autre bruit, pas de voitures, pas de sirène... rien que la pluie qui battait. Je gagnai le divan, enlevai mon trench-coat et fouillai dans les habits de la fille. Il y avait une robe de gros lainage vert pâle du modèle qu'on enfile, à manches courtes. Je conclus que je pourrais m'en débrouiller; je décidai de faire abstraction des sous-vêtements, non par délicatesse mais parce que je ne me voyais pas en train de lui mettre sa culotte et de lui boucler son soutien-gorge. Je pris la robe et gagnai le fauteuil de teck. Miss Sternwood sentait aussi l'éther, à plusieurs mètres. Le petit gloussement sortait toujours de sa bouche et un peu de bave lui dégoulinait sur le menton. Je la giflai. Elle cligna des yeux et s'arrêta de glousser; je la giflai de nouveau.

— Allons! dis-je joyeusement. Soyons gentille. Habillons-nous.

Elle me scruta, ses yeux ardoise vides comme les trous d'un masque.

— V... V... Va-t' fair' fiche... dit-elle.

Je la calottai encore un peu. Elle n'y fit pas du tout attention. Pas suffisant pour la tirer de là. Je me mis au boulot avec la robe. Ça lui fut tout aussi égal. Elle me laissa lui lever les bras et elle écarta les doigts tout grands, comme si c'était très malin. Je fis passer ses mains à travers la robe, tirai la robe sur son dos et la mis debout. Elle tomba dans mes bras en s'esclaffant. Je la rassis sur le fauteuil et lui enfilai ses bas et ses chaussures.

— Allons faire un petit tour, dis-je. Allons faire une gentille petite promenade.

Nous fîmes notre petit tour. La moitié du temps, ses pendants d'oreille tapaient sur ma poitrine, et l'autre moitié, nous marchions à l'unisson, comme des danseurs. Nous allâmes jusqu'au corps de Geiger et nous revînmes. Je le lui avais fait regarder. Elle le trouvait chou. Elle pouffa et voulut me le dire, mais ça fit seulement des bulles. Je la fis marcher jusqu'au divan et l'étendis dessus. Elle émit deux ou trois hoquets, gloussa un peu et s'endormit. Je fourrai ses affaires dans mes poches et passai derrière le poteau totem. L'appareil photo était bien là, mais il n'y avait pas de châssis. Je regardai autour de moi sur le plancher, pensant qu'il l'avait peut-être retiré avant d'être tué. Pas de châssis. J'empoignai sa main molle qui se refroidissait et le tirai un peu. Pas de châssis. Je n'aimais pas du tout ce nouvel aspect de l'affaire.

Je passai dans une entrée, au fond de la pièce, et fouillai la maison. Il y avait à droite une salle de bains et une porte fermée; une cuisine, au fond. La fenêtre de la cuisine avait été fracturée. La jalousie était relevée et l'endroit où la pipe avait travaillé était visible sur l'appui. La porte de derrière était ouverte, je la laissai telle quelle et jetai un coup d'œil, côté gauche de l'entrée. C'était propre, coquet, féminin. Le lit était recouvert d'un dessus de lit à volants. Il y avait du parfum sur la coiffeuse à miroir triple; un mouchoir, un peu de monnaie, une brosse, un porte-clés. Des habits d'homme dans le placard et des pantoufles d'homme sous le bord envolanté du dessus de lit. Chambre de M. Geiger. Je pris le porte-clés et revins au living-room où je fouillai le bureau. Dans le tiroir profond, j'avisai un coffret d'acier fermé. J'essayai une des clés dessus. Il ne contenait qu'un carnet répertoire de cuir bleu qui portait pas mal de notes rédigées en code, les mêmes capitales penchées que sur la lettre au général Sternwood. Je mis le carnet dans ma poche, essuyai le coffret d'acier aux endroits où je l'avais touché, fermai le bureau, empochai les clés, éteignis la bûche à gaz dans la cheminée, m'enveloppai de mon imperméable et tentai de faire lever Miss Sternwood. Impossible. Je lui enfonçai son feutre sur le crâne, la roulai dans son manteau et la trimbalai jusqu'à sa voiture. Je revins sur mes pas, éteignis, fermai la porte de devant, pris ses clés dans son sac et mis la Packard en marche. Nous descendîmes la colline sans lumières. Il me fallut moins de dix minutes pour gagner Alta Brea Crescent. Carmen les employa à ronfler et à me souffler de l'éther à la figure. Rien à faire pour ôter sa tête de mon épaule. C'était la seule solution pour l'empêcher de la mettre sur mes cuisses.

CHAPITRE VIII

Une faible lumière luisait derrière les petits carreaux cernés de plomb qui garnissaient la porte latérale de la maison des Sternwood. J'arrêtai la Packard sous la porte cochère et vidai mes poches sur le siège. La fille ronflait dans son coin, son chapeau posé en casseur sur son nez, les mains pendantes dans les plis de l'imperméable. Je sortis et sonnai. Des pas s'approchèrent lentement, comme exténués par une longue course. La porte s'ouvrit et le valet raide et argenté me dévisagea. La lumière de l'entrée formait un halo autour de ses cheveux.

Il dit : « Bonsoir, monsieur » poliment, et il regarda la Packard, derrière moi. Ses yeux revinrent à moi.

— Mme Regan est là?

— Non, monsieur.

— Le Général dort, j'espère?

— Oui. Le soir est le moment où il dort le mieux.

— Et la femme de chambre de Mme Regan?

— Mathilda? Elle est là, monsieur.

— Il vaut mieux la faire descendre. Ce travail exige une délicatesse toute féminine. Regardez dans la bagnole et vous verrez pourquoi.

Il regarda. Il revint.

— Je vois, dit-il. Je vais chercher Mathilda.

— Mathilda s'en arrangera très bien, dis-je.

— Nous essaierons tous de nous en arranger très bien, dit-il.

— Je suppose que vous avez de l'entraînement, dis-je.

Il laissa passer.

— Eh bien, bonsoir, dis-je. Je remets tout cela entre vos mains.

— Parfait, monsieur. Dois-je appeler un taxi?

— Certainement pas, dis-je. A dire vrai, je ne suis pas là. Vous avez tout simplement des visions.

Il sourit à ce moment-là. Il m'adressa un signe de tête et je fis demi-tour, descendis l'allée et franchis la grille.

Ma promenade dura un bon kilomètre : je descendis des rues tortueuses balayées par la pluie sous le ruissellement implacable des arbres, je passai devant les fenêtres éclairées de grandes maisons, bâties sur de vastes terrains, de vagues ombres de toits et de pignons et de fenêtres éclairées aux étages, du côté de la colline, éloignées et inaccessibles, comme des demeures de sorcières dans la forêt. J'arrivai à une station service éblouissante de lumière inutile, où un employé dégoûté doté d'une casquette blanche et d'un ciré bleu foncé attendait recroquevillé sur une chaise, dans sa cage de verre embuée, en lisant un journal. J'allais entrer mais je continuai mon chemin : j'étais déjà trempé et, par une nuit pareille, le temps d'attendre un taxi, ma barbe aurait poussé. Et les chauffeurs de taxi ont de la mémoire.

J'accomplis le chemin du retour chez Geiger en un peu plus d'une demi-heure de marche accélérée. Il n'y avait personne, pas de voiture dans la rue, sauf la mienne devant la maison voisine. Elle avait l'air lugubre d'un chien perdu. Je m'assis à l'intérieur et allumai une cigarette. J'en fumai la moitié, jetai le mégot, sortis de nouveau et redescendis chez Geiger. Je rouvris la porte, entrai dans l'obscurité encore chaude, et m'égouttai tranquillement sur le plancher en écoutant la pluie. A tâtons, je cherchai une lampe et l'allumai.

La première chose que je remarquai, c'est que deux des panneaux de soie brodée avaient disparu du mur. Je ne les avais pas comptés mais le plâtre brun ressortait dans sa nudité évidente. J'allai un peu plus loin et allumai une autre lampe. Je regardai le totem. A son pied, derrière la bordure du tapis chinois, sur le plancher nu, on avait tendu un autre tapis. Il n'était pas là auparavant. Le corps de Geiger ne s'y trouvait plus.

Ça me refroidit. Je serrai les lèvres et regardai méchamment l'objectif du totem. Je parcourus la maison une seconde fois. Tout était exactement comme avant. Geiger n'était ni sur son lit à volants, ni dessous, ni dans le placard. Dans la cuisine non plus, ni dans la salle de bains. Restait la porte fermée à droite de l'entrée. Une des clés de Geiger ouvrait la serrure. Pièce intéressante, mais pas de Geiger. Intéressante, parce que très différente de la chambre de Geiger. Une chambre à coucher d'homme, dure et nue, plancher de bois poli, une paire de petits tapis indiens, deux chaises dures, bureau de bois noir veiné avec un nécessaire de toilette d'homme et deux bougies noires dans des bougeoirs en cuivre de trente centimètres. Le lit étroit, qui paraissait dur, était recouvert d'un batik marron. La chambre donnait une impression de froid. Je la refermai, essuyai le bouton de porte avec mon mouchoir et revins au totem. Je m'agenouillai et regardai vers la porte d'entrée, les yeux au ras du tapis. Je crus voir deux raies parallèles dans cette direction, comme si des talons avaient raclé le sol. L'auteur de ce déménagement avait pris son boulot au sérieux. Les morts sont plus lourds que les cœurs brisés.

Pas la police. Les flics se seraient encore trouvés sur les lieux; ils auraient à peine eu le temps de commencer à s'exciter sur leurs bouts de ficelle, leurs caméras, leur craie, leurs poudres à empreintes et leurs mauvais cigares! Ils ne seraient pas passés inaperçus. Pas l'assassin. Il était parti trop vite : il avait dû voir la fille. Il n'aurait pu s'assurer qu'elle était trop abrutie pour le remarquer. Il devait être loin, à présent. J'ignorais donc qui était le déménageur, mais si quelqu'un préférait faire croire à la disparition de Geiger plutôt qu'à son assassinat, ça ne me dérangeait pas du tout. C'était une occasion de raconter la chose sans mettre Carmen Sternwood dans le bain. Je refermai, ranimai ma voiture et filai à la maison pour prendre une douche, changer de vêtements et dîner tardivement. Après quoi, je me reposai chez moi et bus trop de grog bouillant en essayant de déchiffrer le code du carnet répertoire de Geiger. Tout ce dont je pus me rendre compte, c'est qu'il s'agissait d'une liste de noms et d'adresses, sans doute ceux des clients. Il y en avait plus de 400. Ça faisait une bonne petite affaire, sans compter les possibilités de chantage, et il devait y en avoir pas mal. Tous les noms du carnet pouvaient être soupçonnés du meurtre. Je n'enviais pas le boulot de la police quand on le lui communiquerait.

Je me mis au lit, rempli de whisky et malade de déception, et je rêvai d'un homme vêtu d'une tunique chinoise sanglante, qui donnait la chasse à une fille nue qui portait des boucles d'oreilles en jade, pendant que je leur courais derrière en essayant de les prendre en photo avec un appareil vide.

CHAPITRE IX

La matinée du lendemain était belle, claire et ensoleillée. Je m'éveillai avec la sensation d'avoir un gant de motocycliste dans la bouche, bus deux tasses de café et parcourus les journaux du matin. Je ne trouvai mention de M. Arthur Gwynn Geiger dans aucun d'eux. J'étais en train d'étirer les plis de mon complet humide quand le téléphone sonna. C'était Bernie Ohls, l'enquêteur en chef du procureur du district qui m'avait recommandé au général Sternwood.

— Alors, comment va l'enfant? commença-t-il.

Il avait la voix d'un homme qui a bien dormi et qui n'a pas trop de dettes.

— J'ai la gueule de bois, dis-je.

— Ttt... Ttt...

Il rit d'un rire absent, et de sa voix de flic malin, un tantinet désinvolte, il me dit :

— Vu le général Sternwood?

— Ouais.

— Fait quelque chose pour lui?

— Trop de pluie, répondis-je... si c'était là répondre.

— On dirait que c'est une famille à qui il arrive des choses... Une grosse Buick qui appartient à un des trois est en train de prendre un bain du côté du quai de la Pêcherie du Lido.

Je serrai le téléphone à le briser. Je retins ma respiration.

— Oui, dit Ohls avec jovialité. Une belle Buick toute

neuve, complètement bousillée, pleine de sable et d'eau de mer. Ah! j'allais oublier... Il y a un type dedans.

Je laissai mon souffle s'exhaler si lentement qu'il resta accroché à mes lèvres.

— Regan? demandai-je.

— Quoi? Qui? Oh, vous vouliez dire l'ex-trafiquant que l'aînée s'est dégoté comme époux? Je ne l'ai jamais vu. Qu'est-ce qu'il ferait là-bas?

— Tournons pas autour du pot. Qu'est-ce que le premier venu ferait là-bas?

— Je ne sais pas, mon vieux. Je vais y voir. Voulez-vous venir?

— Oui.

— Amenez-vous, dit-il. Je suis à mon bureau.

Rasé, habillé et légèrement nourri, je me pointai au Palais de Justice moins d'une heure après. Au septième étage, je gagnai la suite de petits bureaux occupés par les sous-ordres du Procureur du District. Celui d'Ohls n'était pas plus grand que les autres, mais il l'avait pour lui tout seul. Rien sur la table, qu'un buvard, une garniture de bureau bon marché, son chapeau et un de ses pieds. C'était un homme blondasse de taille moyenne, aux sourcils blancs et raides, aux yeux tranquilles et aux dents soignées. Il ressemblait à tous les gens qu'on croise dans la rue. Incidemment, je savais qu'il avait tué neuf bonshommes — dont trois pendant qu'on le tenait en respect... ou qu'on croyait le tenir en respect.

Il se leva, empocha une boîte plate de cigares-joujoux dénommés « Entr'actes », agita de haut en bas celui qu'il avait dans la bouche et me regarda attentivement, en rejetant la tête en arrière; on aurait dit que son regard lui coulait le long du nez.

— C'est pas Regan, dit-il. J'ai vérifié. Regan est un gars costaud, aussi grand que vous et un poil plus lourd. Celui-là est un gosse.

Je ne répondis rien.

— Qu'est-ce qui a poussé Regan à mettre les voiles? demanda Ohls. Vous vous occupez de ça?

— Je ne pense pas... dis-je.

— Quand un gars qui a été trafiquant d'alcool se marie dans une famille riche, et puis qu'il dit adieu à une jolie dame et à une paire de millions de dollars tout ce qu'il y a de réguliers, ça donne à réfléchir, même à un type comme moi. Je suppose que vous croyiez que c'était un secret?

— Vouais.

— Bon, gardez tout pour vous, mon coco, je ne vous en veux pas.

Il fit le tour de son bureau en tapotant ses poches et son chapeau.

— Je ne cherche pas Regan, dis-je.

Il ferma sa porte, nous descendîmes au parc des voitures officielles et montâmes dans une petite conduite intérieure bleue. Nous parcourûmes Sunset en actionnant la sirène une fois de temps en temps, pour brûler un feu rouge. C'était un matin frais et l'air était tout juste assez mordant pour vous faire trouver la vie simple et douce si vous n'aviez pas trop de soucis en tête. J'en avais.

Jusqu'au quai du Lido, ça faisait cinquante kilomètres sur la Nationale côtière, les quinze premiers à travers les voitures. Ohls fit le trajet en trois quarts d'heure. Ce temps écoulé, nous nous arrêtâmes devant une arcade de stuc décoloré. Je décollai mes pieds du plancher et nous sortîmes. Un long appontement rambardé de chevrons blancs s'avançait dans la mer à partir de l'arcade. Un groupe de gens se penchait tout au bout et un officier de police motocycliste, debout sous l'arcade, empêchait un autre groupe de passer sur l'appontement. Des voitures étaient arrêtées des deux côtés de la route : les habituels vampires des deux sexes. Ohls montra sa plaque à l'officier motocycliste et nous passâmes sur le pier, environnés d'une puissante odeur de marée qu'une nuit de pluie torrentielle n'avait pu réussir à dissiper.

— Elle est là... sur la péniche, dit Ohls en la désignant de l'un de ses cigares-pour-rire.

Un ponton noir et bas pourvu d'un poste de pilotage comme celui d'un remorqueur était collé contre les pieux de l'extrémité du pier. Un objet qui brillait dans le soleil du matin se trouvait sur le pont; les chaînes du palan l'entouraient encore; c'était une grosse voiture noire et chromée. Le bras de la grue avait été repoussé vers l'arrière et abaissé au niveau du pont. Nous descendîmes les marches glissantes.

Ohls dit bonjour à un shérif-adjoint en kaki verdâtre et à un homme en civil. L'équipage du ponton, trois hommes, mâchait du tabac, adossé à l'avant du poste de pilotage. L'un d'eux essuyait ses cheveux mouillés avec une serviette de bain sale. C'était sans doute celui qui avait plongé pour passer les chaînes.

Nous examinâmes la voiture. Le pare-chocs avant était tordu, un phare éclaté, l'autre tordu mais le verre encore intact. La calandre du radiateur avait reçu un gnon sévère, la peinture et les chromes étaient rayés un peu partout. La garniture intérieure paraissait noire et trempée. Aucun des pneus ne semblait endommagé.

Le conducteur était encore entortillé autour de son volant. Sa tête faisait un angle bizarre avec ses épaules. C'était un mince adolescent aux cheveux noirs, naguère beau gosse. Maintenant sa figure était d'un blanc bleuâtre, ses yeux brillaient d'un éclat terne sous les paupières baissées à moitié et sa bouche ouverte était pleine de sable. Sur sa tempe gauche, une meurtrissure sombre ressortait sur la blancheur de la peau.

Ohls recula, fit un bruit de gorge et alluma son petit cigare.

— L'histoire?

L'homme que s'essuyait la tête s'approcha du bastin-du pier. L'un d'eux tripotait l'endroit où les chevrons blancs brisés formaient une large brèche. Le bois éclaté était jaune et propre comme du pin fraîchement abattu.

— Passé par là. A dû taper drôlement dur. La pluie s'est arrêtée assez tôt par ici, vers neuf heures du soir. Le bois brisé est sec à l'intérieur. Ça situe la chose après la pluie. La bagnole est tombée dans pas mal d'eau pour être si peu amochée; mais pas plus d'une demi-marée haute, sans quoi elle aurait été plus loin; ni plus d'une demi-marée descendante, sans ça elle serait passée dans les pieux. Ça fait vers dix heures hier soir. Peut-être neuf heures et demie pas plus tôt. On l'a vue sous l'eau quand les types sont venus ce matin pour pêcher, et on a été chercher le ponton pour l'enlever; on a trouvé le type mort.

Le type en civil gratta le pont du bout de son soulier. Ohls me regarda à la dérobée et tourna son petit cigare comme une cigarette.

— Ivre? demanda-t-il sans s'adresser spécialement à personne.

L'homme qui s'essuyait la tête s'approcha du bastingage et s'éclaircit la gorge dans un râclement bruyant qui fit tourner la tête à tout le monde.

— J'ai plein de sable, dit-il, et il ricana. Pas autant que le copain là-bas, mais pas mal...

L'homme en uniforme dit :

— Peut avoir bu. Faisait le con tout seul dans la pluie? Les saoulots font n'importe quoi.

— Ivre, mon œil, dit l'homme en civil. L'accélérateur à main est à la moitié de sa course et le type a été sonné sur le crâne. Si vous voulez mon avis, c'est un meurtre.

Ohls regarda le type à la serviette.

— Qu'est-ce que t'en penses, vieux?

L'homme à la serviette parut flatté. Il sourit :

— Moi, j'dis suicide, Mac. Pas mon affaire, mais vous me l'demandez, et j'dis suicide. D'abord, le type a été salement droit le long de c't'appontement. On peut voir les marques de ses pneus presque tout du long. Ça situe la chose après la pluie comme a dit l'shérif. Et puis il a tapé la rambarde en plein, et proprement, sans ça il ne serait pas passé au travers pour atterrir du bon côté. L'aurait plutôt un peu tourné deux ou trois fois. Donc, il gazait bien et il a tapé la rambarde en plein. Ça fait plus qu'une demi-accélération. Il a pu faire ça avec sa main en tombant et il peut s'être cogné le crâne en tombant aussi.

— T'as des yeux, mon vieux, dit Ohls. L'avez fouillé? demanda-t-il au shérif.

Le shérif me regarda, puis regarda les marins devant le poste de pilotage.

— Ça va... ne le faites pas, dit Ohls.

Un petit homme nanti de lunettes, d'une figure fatiguée et d'une trousse noire descendit les marches du quai. Il repéra un coin à peu près propre sur le pont et déposa sa trousse. Puis il enleva son chapeau, se frotta la nuque et regarda la mer, comme s'il ne savait pas où il se trouvait ni pourquoi il était venu.

— Voilà votre client, toubib, dit Ohls. Plongé de là-haut la nuit dernière. Entre neuf et dix. C'est tout ce que nous savons.

Le petit homme regarda le mort de la voiture d'un air morose. Il palpa le crâne, examina la contusion sur la tempe, fit remuer la tête entre ses deux mains, tâta les côtes de l'homme. Il souleva une main morte et molle et en contempla les ongles. Il la lâcha et la regarda retomber. Il fit un pas en arrière, ouvrit sa trousse, en tira un bloc d'imprimés intitulés : « Décès accidentels », et se mit à écrire sur un carbone.

— La fracture du cou semble être la cause de la mort, dit-il en écrivant. Ça veut dire qu'il n'a pas dû avaler beaucoup d'eau. Ça veut dire qu'il ne va pas tarder à devenir raide, et drôlement vite maintenant qu'il est à l'air. Vous ferez mieux de le sortir de la voiture avant. Ça ne sera pas agréable après.

Ohls approuva :

— Mort depuis combien de temps, docteur?

— Je ne peux pas dire.

Ohls le regarda avec intérêt et retira de sa bouche son petit cigare, qu'il considéra avec la même attention.

— Heureux de faire votre connaissance, docteur. Un homme qui travaille pour un juge et ne peut pas fixer ça à cinq minutes près, ça me dépasse.

Le petit homme sourit amèrement, remit son bloc dans la valise et agrafa son stylo à sa poche.

— S'il a dîné hier soir, je vous le dirai... si je sais à quelle heure il a dîné. Mais pas à cinq minutes près.

— Comment a-t-il pu attraper cette marque? En tombant?

Le petit homme regarda de nouveau la contusion.

— Je ne pense pas. Ce coup-là a été donné par un instrument contondant. Et ça a saigné sous la peau avant la mort.

— Une matraque, hein?

— Très probablement.

Le petit docteur hocha la tête, ramassa sa trousse et regagna les marches de l'appontement. Une ambulance reculait pour se mettre en position de l'autre côté de l'arcade de stuc. Ohls me regarda et dit :

— Partons. Ça valait à peine le déplacement, hein?

Nous longeâmes le pier en sens inverse et nous nous réinstallâmes dans la voiture de Ohls. Il fit demi-tour pour rejoindre la route et regagna la ville par l'autoroute à trois voies lavée par la pluie et bordée de dunes basses de sable blanc-jaune couvertes de mousse rose. Au-dessus de la mer, quelques mouettes tournaient en rond et plongeaient sur des objets qui flottaient; loin à l'horizon, un yacht blanc paraissait accroché au ciel.

Ohls braqua son menton vers moi :

— Vous le connaissez?

— Naturellement. Le chauffeur des Sternwood. Je l'ai vu épousseter cette même voiture pas plus tard qu'hier.

— Je ne veux pas vous tirer les vers du nez, Marlowe, mais dites-moi simplement si votre boulot avait un quelconque rapport avec lui?

— Non. Je ne sais même pas son nom.

— Owen Taylor. Comment je le sais? Ça, c'est assez marrant. Il y a à peu près un an, on l'a mis en boîte pour infraction à la loi Mann. Il semble qu'il ait enlevé la fille de Sternwood, la chaude, la plus jeune, pour l'emmener à Yuma. La sœur leur a galopé derrière, s'est amenée devant le procureur du district et l'a persuadé de libérer le gamin de la plainte du Procureur général des Etats-Unis. Elle dit que le gosse avait l'intention d'épouser sa sœur, mais que la sœur n'a pas pu s'en rendre compte : tout ce qu'elle voulait, c'était se cuiter un bon coup et prendre du bon temps. Alors on a libéré le gosse et que je sois pendu s'ils ne l'ont pas repris comme chauffeur. Et quelque temps après, on reçoit le rapport de Washington concernant ses empreintes; il avait un casier : tentative de vol à main armée dix ans plus tôt en Indiana. Il s'en est tiré avec six mois dans la prison du comté, celle-là même dont Dillinger a foutu le camp. On a transmis les renseignements aux Sternwood et ils l'ont gardé quand même. Qu'est-ce que vous dites de ça?

— Ça a l'air d'une famille de tordus, fis-je. Sont-ils au courant pour la nuit dernière?

— Non. Il faut que je monte chez eux maintenant.

— Laissez le vieux en dehors de ça si vous pouvez.

— Pourquoi?

— Il a assez d'emmerdements et il est malade.

— Vous voulez dire à cause de Regan?

Je me renfrognai.

— Je ne sais rien de Regan, je vous l'ai dit. Je ne suis pas après Regan. Regan n'a embêté personne à ma connaissance.

Ohls dit : « Oh... », regarda attentivement la mer et la voiture faillit quitter la route. Le reste du trajet, il desserra à peine les dents. Il me déposa à Hollywood près du Théâtre Chinois et fit demi-tour à l'ouest en direction d'Alta Brea Crescent. Je déjeunai sur le pouce et consultai un journal du soir sans rien trouver concernant Geiger.

Après mon repas, je repris le boulevard en direction de l'est pour aller jeter un coup d'œil sur la boutique de Geiger.

CHAPITRE X

Le mince bijoutier à l'œil noir se tenait sur le pas de sa porte dans la même position que la veille. Il me jeta le même regard complice quand j'entrai. La boutique n'avait pas changé ; la même lampe allumée sur le petit bureau d'angle, la même blonde dans la même robe collante qui se leva et vint à moi avec le même sourire hésitant.

— C'était pour... dit-elle, et elle s'arrêta.

Ses ongles d'argent s'agitèrent le long de ses flancs. Il y avait une trace de tension dans son sourire. Ce n'était d'ailleurs en aucune façon un sourire, mais une grimace. Elle seule croyait qu'elle souriait.

— Encore moi, chantonnai-je d'un ton léger, en agitant une cigarette. M. Geiger est là, aujourd'hui?

— Je... j'ai peur que non... Non... J'ai peur que non... Voyons... vous désiriez?

Je retirai mes lunettes noires et en tapotai délicatement l'intérieur de mon poignet gauche. Si on peut jouer les libellules quand on pèse quatre-vingt-cinq kilos, je crois que je faisais de mon mieux.

— C'était une blague, ces éditions originales, murmurai-je. Je suis forcé d'être prudent. J'ai quelque chose qu'il sera content de se procurer. Quelque chose qu'il cherche depuis longtemps.

Les ongles d'argent se posèrent sur les cheveux blonds, au-dessus d'une des petites oreilles ornées de jais.

— Ah! un représentant, dit-elle... Bon... Vous pourriez repasser demain... Je pense qu'il sera là demain.

— Laissez tomber, dis-je. Je suis dans le boulot aussi.

Ses yeux se rétrécirent, ne furent plus qu'un léger éclat verdâtre; on aurait cru un lac de forêt très loin dans l'ombre des arbres. Ses doigts agrippèrent sa paume. Elle me regarda et poussa un soupir.

— Il est malade? Je peux aller chez lui, dis-je impatiemment. Je n'ai pas toute la vie.

— Vous... euh... vous... euh... fit sa gorge.

Je crus qu'elle allait choir sur le nez. Tout son corps frémit et sa figure tomba en morceaux comme la croûte d'un pâté de mariage. Elle la recomposa lentement comme si elle soulevait un pénible fardeau, à force de volonté. Le sourire revint, mais les coins de la bouche pendouillaient.

— Non, soupira-t-elle. Non. Il n'est pas en ville... Ça ne servirait à rien... Vous ne pouvez pas revenir... demain?

J'ouvrais la bouche pour lui répondre lorsque la porte de la cloison s'entrebâilla de trente centimètres. Le beau garçon brun en blouson de cuir y passa la tête; il était pâle et serrait les lèvres; il m'aperçut, referma la porte rapidement, non sans que j'aie pu voir sur le plancher, à côté de lui, une série de caisses en bois garnies de vieux journaux et pleines de livres en vrac. Un homme en salopette toute neuve s'en occupait. On déménageait une partie du stock de Geiger.

— Demain, alors. Je vous donnerais bien une carte, mais vous savez ce que c'est...

— Ou...i. Je sais ce que c'est.

Elle frémit de nouveau et fit un léger bruit de succion avec ses lèvres rouges. Je sortis de la boutique, arrivai au carrefour ouest, tournai au nord et gagnai la ruelle qui passait derrière les boutiques. Une camionnette noire aux flancs grillagés, sans publicité dessus, était adossée à la boutique de Geiger. L'homme en salopette toute neuve soulevait justement une des caisses et la posait sur le plancher. Je revins au boulevard et longeai le block voisin de la boutique Geiger; je trouvai un taxi en station près d'une bouche d'incendie. Un garçon au visage frais lisait un magazine d'horreur derrière son volant. Je me penchai et lui montrai un dollar.

— Pister quelqu'un?

Il me regarda :

— Flic?

— Privé.

Il sourit.

— D'ac, Jack.

Il fourra le magazine derrière son rétroviseur et je montai. Nous fîmes le tour du block et il s'arrêta en face de la petite rue de Geiger, à côté d'une autre bouche d'incendie.

Il y avait à peu près une douzaine de caisses dans la camionnette lorsque l'homme en salopette ferma les portes, remonta le marchepied arrière et s'installa au volant.

— Suivez-le, dis-je à mon chauffeur.

L'homme en salopette éperonna son moteur, jeta un coup d'œil à droite et à gauche et fila à toute vitesse. Il tourna à gauche en sortant de l'allée. Nous fîmes de même. J'entrevis la camionnette qui tournait vers l'est dans Franklin et demandai à mon chauffeur de se rapprocher un peu. Il ne le fit pas... ou ne put le faire. Je vis la camionnette à deux blocks devant nous quand nous débouchâmes dans Franklin. Nous l'eûmes en vue jusqu'à Vine, après Vine, et tout le temps jusqu'à Western. Nous la vîmes deux fois après Western. Il y avait pas mal de circulation et le garçon au visage frais suivait de trop loin. Je le lui appris sans détours lorsque la camionnette, maintenant loin devant nous, vira de nouveau au nord. La rue dans laquelle elle tourna s'appelait Brittany Place. Quand nous arrivâmes à Brittany Place, la camionnette avait disparu.

Le gars au visage frais émit des bruits réconfortants, à travers la séparation, et nous remontâmes la colline à six à l'heure, en observant si la camionnette n'était pas planquée derrière les buissons. Deux blocks plus haut, Brittany Place tournait vers l'est et rejoignait

Randall Place, près d'une langue de terrain sur laquelle s'élevait un immeuble de rapport dont la façade donnait sur Randall Place et le garage souterrain sur Brittany. Nous allions le dépasser et le garçon me disait que la camionnette ne pouvait pas être loin quand, en regardant par l'entrée centrale du garage, je l'aperçus dans l'ombre; ses portes étaient ouvertes.

Nous fîmes le tour, gagnâmes la façade et je sortis. Personne dans la loge, pas de tableau. Un bureau de bois contre le mur à côté d'un panneau de boîtes à lettres dorées. Je regardai les noms. Un nommé Brody habitait l'appartement 405. Un nommé Joe Brody avait reçu cinq mille dollars du général Sternwood pour cesser de s'amuser avec Carmen et se trouver une autre fille. C'était peut-être le même Joe Brody. J'en aurais fait le pari.

Le mur faisait un coude que je suivis et j'arrivai à un escalier carrelé qui cernait la cage de l'ascenseur automatique. Le haut de l'ascenseur était au niveau du plancher. Il y avait une porte, à côté de la cage, marquée garage. Je l'ouvris et descendis un escalier étroit qui accédait à la cave. L'ascenseur était ouvert et l'homme en salopette neuve soufflait dur en y entassant les lourdes caisses. Je restai debout à côté de lui, allumai une cigarette et le surveillai. Ça ne lui plut pas.

Au bout d'un moment, je pris la parole :

— Gare à la surcharge, mon vieux. Il est garanti pour une demi-tonne seulement. Où est-ce que ça monte?

— Brody, 405, grogna-t-il.

— Le gérant?

— Oui. Fameuse récolte, hein...

Il me regarda de ses yeux pâles bordés de blanc.

— Des livres, dit-il, hargneux. Cinquante kilos pour chaque caisse, facilement, et moi j'ai le dos garanti pour trente.

— Eh bien, fais attention à la surcharge, dis-je.

Il monta dans l'ascenseur avec six caisses et ferma les portes. Je remontai les marches jusqu'à l'entrée, regagnai la rue et le taxi me redescendit jusqu'à mon bureau. Je donnai trop d'argent au garçon au visage frais et il me tendit une carte de travail cornée que, pour une fois, je ne flanquai pas dans la jarre de majolique pleine de sable, à côté de l'ascenseur.

J'occupais une pièce et demie au septième étage sur la cour. La demi-pièce était un bureau coupé en deux pour faire deux pièces de réception. Le mien portait mon nom et rien d'autre, et ceci seulement dans la pièce de réception. Je laissais toujours celle-ci ouverte, au cas où j'aurais un client et où le client voudrait s'asseoir et attendre.

J'avais un client.

CHAPITRE XI

Elle portait un tailleur de tweed moucheté brunâtre, une chemise et une cravate d'homme, de grosses chaussures de marche cousues main. Ses bas étaient aussi fins que la veille mais elle montrait beaucoup moins de ses jambes. Ses cheveux noirs brillaient sous un Robin Hood marron qui pouvait avoir coûté cinquante dollars et paraissait à vue de nez facilement reproductible, d'une seule main, avec une feuille de buvard.

— Vous vous levez tout de même... dit-elle en fronçant son nez à l'adresse du divan d'un rouge passé, des deux fauteuils à moitié confortables, des rideaux de filet qui réclamaient un lavage et de la table à lire, taille garçonnet, chargée de vieux magazines qui donnaient à l'endroit un air professionnel.

— Je commençais à me dire que vous travailliez peut-être au lit, comme Marcel Proust.

— Qui est-ce?

Je mis une cigarette dans ma bouche et la regardai. Elle était un peu pâle et tendue, mais elle paraissait de taille à fonctionner sous tension.

— Un écrivain français, un spécialiste des dégénérés. Vous ne pouvez pas le connaître.

— Tut... Tut... dis-je. Venez dans mon boudoir.

Elle se leva et dit :

— Nous ne nous sommes pas très bien entendus hier. Peut-être ai-je été brutale...

— Nous l'avons été tous les deux, dis-je.

J'ouvris la porte de communication et l'invitai du geste. Nous passâmes dans la seconde moitié de mon appartement, qui contenait un tapis rouge-rouille, pas très frais, cinq boîtes à fiches vertes, dont trois remplies de Climat Californien, un calendrier publicitaire. Il y avait trois chaises de noyer presque authentiques, le bureau habituel avec le buvard habituel, la garniture, le cendrier, le téléphone, et l'habituel et grinçant fauteuil tournant.

— Vous n'avez pas beaucoup de façade, dit-elle en s'asseyant devant le bureau côté client.

Je m'approchai de la boîte aux lettres et ramassai six enveloppes, deux lettres et quatre prospectus. Je pendis mon chapeau au téléphone et m'assis.

— Les Pinkerton non plus, dis-je. Si vous êtes honnête, ce commerce-là ne rapporte pas lourd. Quand vous avez une façade, c'est que vous faites de l'argent... ou que vous espérez en faire.

— Tiens? Vous êtes honnête? demanda-t-elle en ouvrant son sac.

Elle tira une cigarette d'un étui émaillé, l'alluma avec un briquet de poche, fit choir étui et briquet dans le sac et laissa celui-ci ouvert.

— J'y arrive péniblement.

— Comment avez-vous pu choisir cette profession ignoble, alors?

— Comment avez-vous pu épouser un trafiquant d'alcool?

— Seigneur, ne recommençons pas à nous battre. J'essaie de vous téléphoner depuis ce matin. Ici et à votre appartement.

— A propos d'Owen?

Sa figure se tendit, devint dure. Sa voix resta calme.

— Pauvre Owen, dit-elle. Alors vous savez ça?

— Un des hommes du procureur m'a emmené au Lido. Il s'imaginait que je savais peut-être quelque chose. Mais il en connaissait beaucoup plus long que moi. Il savait qu'Owen avait voulu épouser votre sœur... autrefois.

Elle tira silencieusement sur sa cigarette et me considéra de ses yeux noirs et fermes.

— Peut-être que ça n'aurait pas été une si mauvaise idée, dit-elle tranquillement. Il l'aimait. C'est une chose qu'on ne rencontre pas souvent dans notre milieu.

— Il avait un casier judiciaire.

Elle haussa les épaules et reprit d'un ton négligent :

— Il ne connaissait pas les gens qu'il fallait. Voilà tout ce que signifie un casier judiciaire dans ce pays pourri.

— Je ne peux pas vous suivre.

Elle ôta son gant droit et mordit la première jointure de son index en me regardant fixement.

— Je ne suis pas venue vous parler d'Owen. Croyez-vous que vous puissiez me dire à propos de quoi mon père voulait vous voir?

— Pas sans sa permission.

— C'était au sujet de Carmen?

— Je ne peux pas même répondre à ça.

J'achevai de bourrer une pipe et j'en approchai une allumette. Elle suivit des yeux la fumée pendant un instant. Puis sa main plongea dans son sac ouvert et en ressortit une épaisse enveloppe blanche. Elle la lança sur le bureau.

— De toute façon, il vaut mieux que vous voyiez ça, dit-elle.

Je la ramassai. L'adresse tapée à la machine était celle de Mme Vivian Regan, 3765 Alta Brea Crescent, West Hollywood.

Remise en avait été faite par exprès et le tampon du bureau portait 8 h 35 du matin comme date d'affranchissement. J'ouvris l'enveloppe et en tirai l'épreuve glacée 9 × 12 qui en constituait tout le contenu.

C'était Carmen, assise dans le grand fauteuil de teck de Geiger, sur l'estrade, avec ses pendants d'oreille et dans le costume de sa naissance. Ses yeux semblaient encore un peu plus fous que je ne me le rappelais.

Le dos de la photo était vierge. Je la remis dans l'enveloppe.

— Combien en veulent-ils? demandai-je.

— Cinq mille pour le négatif et le reste des épreuves. Le marché doit être conclu ce soir, sinon ils enverront ça à une feuille à scandale.

— Comment la demande a-t-elle été transmise?

— Une femme m'a téléphoné environ une demi-heure après que cette chose a été distribuée.

— Il n'y a rien à craindre côté scandale. Les jurés les condamnent sans même délibérer pour des trucs comme ça, de nos jours. Qu'y a-t-il d'autre?

— Doit-il y avoir quelque chose d'autre?

— Oui.

Elle me dévisagea, un peu troublée.

— Il y a quelque chose. La femme a dit que la police était mêlée à ça et que je ferais mieux de me grouiller sinon je parlerais à ma petite sœur derrière la grille d'une prison.

— C'est mieux, dis-je. Mêlée de quelle façon?

— Je ne sais pas.

— Où est Carmen en ce moment?

— Elle est à la maison. Elle a été malade la nuit dernière. Elle est encore au lit, je pense.

— Est-elle sortie la nuit dernière?

— Non. Moi, je suis sortie, mais les domestiques assurent qu'elle ne l'a pas fait. J'étais descendue à Las Olindas pour jouer à la roulette au Cypress Club d'Eddie Mars. J'ai perdu ma chemise.

— Ainsi, vous aimez la roulette. Ça vous ressemble.

Elle croisa ses jambes et alluma une cigarette.

— Oui, j'aime la roulette. Tous les Sternwood aiment les jeux où on perd, comme la roulette, ou épouser des gens qui se moquent d'eux, ou courir des steeple-chases à cinquante-huit ans, se faire vider par un cheval vicieux et rester paralysé pour la vie. Les Sternwood ont de l'argent. Tout ce que ça leur a rapporté, c'est des espérances.

— Que faisait Owen la nuit dernière dans votre voiture?

— Personne n'en sait rien. Il l'a prise sans autorisation. Nous le laissons toujours prendre une voiture pour son jour de sortie, mais la nuit dernière n'était pas son jour de sortie.

Sa bouche se tordit un peu.

— Vous pensez...

— Qu'il était au courant de cette photo déshabillée? Comment pourrais-je vous le dire? Je ne l'élimine pas. Pouvez-vous vous procurer cinq mille dollars liquides en ce moment?

— Pas à moins de le dire à papa... ou de l'emprunter. Je pourrais sans doute les demander à Eddie Mars. Dieu sait qu'il pourrait être généreux avec moi!

— Il vaut mieux essayer ça. Vous en aurez peut-être besoin très vite.

Elle se renversa en arrière et passa un bras autour du dossier du fauteuil.

— Si on prévenait la police?

— C'est une bonne idée. Mais vous ne le ferez pas.

— Je ne le ferai pas?

— Non. Vous avez votre père et votre sœur à protéger. Vous ne savez pas ce que la police peut découvrir. Ça serait peut-être quelque chose qu'ils ne pourraient pas étouffer. Quoiqu'ils s'y efforcent, d'habitude, dans les histoires de chantage.

— Pouvez-vous faire quelque chose?

— Je crois que oui. Mais je ne peux vous dire ni pourquoi ni comment.

— Vous me plaisez, dit-elle brusquement. Vous croyez aux miracles. Auriez-vous à boire dans votre bureau?

J'ouvris le tiroir pour en extraire ma bouteille et deux petits verres. Je les remplis et nous bûmes. Elle ferma son sac d'un coup sec et recula son fauteuil.

— Je les aurai, ces cinq mille, dit-elle. Je suis une bonne cliente d'Eddie Mars. Il a une autre raison de se montrer gentil avec moi, que vous ne connaissez peut-être pas.

Elle m'adressa un de ces sourires que les lèvres oublient avant qu'ils arrivent aux yeux.

— La blonde épouse de Mars est la poupée avec qui Rusty a fichu le camp.

Je ne répondis pas. Elle me regarda avec acuité et ajouta :

— Ça ne vous intéresse pas?

— Ça devrait m'aider à le retrouver, si j'étais à sa recherche. Vous ne croyez pas qu'il soit lié à tout ce gâchis, hein?

Elle me tendit son verre vide.

— Donnez-m'en un autre. Vous êtes un type dont il est impossible de rien tirer. Vos oreilles ne remuent même pas.

Je remplis le petit verre.

— Vous avez tiré de moi tout ce qu'il vous fallait : une certitude assez bien établie que je ne cherche pas votre mari.

Très vite, elle avala le verre. Ça la fit s'enrouer ou lui donna un prétexte pour s'enrouer. Elle reprit lentement sa respiration.

— Rusty n'était pas une canaille. Sinon, il ne se serait pas contenté de petite monnaie. Il avait quinze mille dollars en billets sur lui. Il appelait ça son argent de poche. Il les avait quand je l'ai épousé et il les avait quand il est parti. Non... Rusty n'est pas mêlé à une histoire de chantage au rabais.

Elle prit l'enveloppe et se leva.

— Je reste en contact avec vous, dis-je. Si vous voulez me laisser une communication, la fille du standard de l'immeuble où j'habite la prendra.

Nous gagnâmes la porte. Tout en tapotant ses phalanges avec l'enveloppe blanche, elle dit :

— Vous estimez toujours ne pas pouvoir me dire ce que papa...

— Il faut que je le voie d'abord.

Elle prit la photo et la regarda, sur le seuil de la porte :

— Elle a un joli corps, n'est-ce pas?

— Ouais.

Elle se pencha vers moi.
— Vous devriez voir le mien... dit-elle sérieusement.
— Pouvez-vous arranger ça?
Elle eut un rire soudain et, brusquement, franchit la porte à moitié, puis tourna la tête et dit avec calme :
— Vous êtes l'animal le plus froid que j'aie jamais vu, Marlowe. Peut-être puis-je vous appeler Phil?
— Bien sûr.
— Vous pouvez m'appeler Vivian.
— Merci, madame Regan.
— Oh! Allez au diable, Marlowe!
Elle sortit sans se retourner.
Je fermai la porte et m'immobilisai, la main sur le bouton, en regardant ma main. J'avais un peu chaud à la figure. Je revins au bureau, rangeai le whisky, rinçai les deux petits verres et les rangeai.
J'enlevai mon chapeau du téléphone et appelai le bureau du procureur du district; je demandai Bernie Ohls. Il était de retour dans son trou carré.
— Eh bien, j'ai laissé le vieux tranquille, dit-il. Le valet de chambre a dit que lui ou une des filles pourraient le lui apprendre. Cet Owen Taylor habitait audessus du garage et j'ai fouillé ses affaires. Les parents habitent Dubuque, Iowa. J'ai télégraphié au chef de la police locale pour savoir ce qu'ils veulent qu'on fasse. La famille Sternwood paiera.
— Suicide? demandai-je.
— Impossible à dire. Il n'a rien laissé. Il n'avait pas l'autorisation de prendre la voiture. Tout le monde était là, la nuit dernière, sauf Mme Regan. Elle était descendue à Las Olindas avec un coco nommé Larry Cobb. J'ai vérifié. Je connais un gars d'une des tables.
— Vous devriez arrêter un peu ces jeux, dis-je.
— Avec le syndicat qu'il y a dans ce comité? Soyez sérieux, Marlowe. Cette contusion sur le crâne du gaillard m'embête un peu. Sûr que vous ne pouvez pas m'aider pour ça?
J'aimais sa façon de poser la question. Ça me permettait de répondre non sans mentir vraiment. Nous nous dîmes au revoir et je quittai le bureau, achetai les

trois journaux du soir et pris un taxi jusqu'au Palais de Justice pour récupérer ma voiture. Rien sur Geiger dans aucun des trois journaux. Je jetai un coup d'œil sur le carnet bleu, mais le code me nargua comme il l'avait fait la veille.

CHAPITRE XII

Les arbres du côté supérieur de Laverne Terrace, portaient leurs feuilles vertes lavées par la pluie. Dans le frais soleil de l'après-midi, je suivis des yeux la pente raide de la colline et la volée de marches par où le tueur s'était enfui après les trois coups de feu. Deux petites maisons donnaient sur la rue d'en bas. Elles avaient peut-être entendu les coups de feu, ou peut-être pas.

Aucune activité devant chez Geiger et nulle part le long de la rue. La haie semblait verte et pacifique et les bardeaux du toit étaient encore humides.

Je dépassai lentement la baraque en ruminant une idée. Je n'avais pas examiné le garage la nuit passée. Une fois le corps de Geiger disparu, je n'avais pas songé sérieusement à le retrouver; ça m'aurait forcé la main. Mais le traîner jusqu'au garage, dans sa propre voiture, et précipiter celle-ci dans un des cent canyons solitaires qui entourent Los Angeles était un moyen de se débarrasser de lui pendant des jours... et même des semaines. Ceci impliquait deux choses : une clé de sa voiture et deux personnes pour la balade. Ça réduirait pas mal le champ des recherches, d'autant plus que son trousseau personnel était dans ma poche quand c'était arrivé.

Je n'eus pas l'occasion d'examiner le garage. Les portes étaient fermées et cadenassées et quelque chose s'agita derrière la haie quand j'arrivai à sa hauteur.

Une femme en manteau à carreaux verts et qui portait un tout petit chapeau sur de flous cheveux blonds sortit du taillis et regarda sauvagement ma voiture, comme si elle ne l'avait pas entendue monter la côte. Puis elle fit prestement demi-tour: C'était Carmen Sternwood, naturellement.

Je remontai la rue, me garai et revins sur mes pas. En plein jour, ça paraissait risqué et dangereux. Je franchis la haie. Elle était là, droite et muette, adossée à la porte d'entrée fermée. Une de ses mains s'approcha lentement de ses dents et elle mordit son drôle de pouce. Il y avait des marques rouges sous ses yeux et son visage pâle et hagard trahissait sa tension nerveuse.

Elle me fit un demi-sourire. Elle dit d'une voix mince et fragile :

— Bonjour! Euh... Qu'est-ce...

Ce fut tout; elle revint à son pouce.

— Souvenez de moi? dis-je. Nichachien Reilly, le type qui a grandi. Souvenez?

Elle hocha la tête et un sourire rapide et fébrile se joua sur ses traits :

— Qu'est-ce que... Qu'est-ce que?...

Je l'écartai, mis la clé dans la serrure, ouvris la porte et poussai la fille à l'intérieur. Je refermai la porte et me mis à renifler. L'endroit était atroce à la lumière du jour. La camelote chinoise sur les murs, le tapis, les lampes inutiles, les machins en teck, les couleurs qui juraient de façon dégueulasse, le totem, le flacon d'éther et de laudanum, tout ça, au jour, était d'une saleté vacharde comme une réunion de fantômes.

La fille et moi restâmes à nous regarder. Elle voulut garder son petit sourire malin, mais son visage était trop fatigué pour s'y prêter et resta inexpressif. Le sourire s'effaça, comme de l'eau sur du sable et sa peau pâle me parut avoir une texture râpeuse et grenue, sous le vide étonné et stupide de ses yeux. Sa langue blanchâtre léchait les coins de sa bouche. Une jolie petite fille gâtée et pas très intelligente qui avait très, très mal tourné sans que personne ne s'en soucie. Au diable les richards. Ils me rendaient malade. Je tournai une cigarette entre mes doigts, écartai quelques livres et m'assis au bout du bureau noir. J'allumai ma cigarette, exhalai une bouffée et regardai un moment en silence ses dents qui mordaient son pouce. Carmen était debout devant moi, telle une méchante petite fille dans le bureau du proviseur.

— Qu'est-ce que vous fichez là? lui demandai-je enfin. Elle pignocha le tissu de son manteau et ne répondit pas.

— Qu'est-ce que vous vous rappelez de la nuit dernière?

Elle répondit cette fois tandis qu'un éclair rusé apparaissait au fond de ses yeux :

— Rappeler quoi? J'étais malade, la nuit dernière. J'étais à la maison.

Sa voix était un filet voilé qui parvenait à peine à mes oreilles.

— Mon œil... dis-je.

Ses yeux papillotèrent rapidement.

— Avant de rentrer à la maison, dis-je. Avant que je vous ramène; ici dans ce fauteuil (je le montrai du doigt) sur ce châle orange. Vous vous le rappelez parfaitement.

Une lente rougeur envahit son visage. C'était déjà quelque chose. Elle pouvait rougir. Une ligne blanche apparut sous ses iris gris pailletés. Elle mordit violemment son pouce.

— Vous... c'était vous? soupira-t-elle.

— C'était moi. De quoi vous souvenez-vous?

Elle dit distraitement :

— Vous êtes de la police?

— Non.

— Vous n'êtes pas de la police?

— Non. Je suis un ami de votre père.

Elle soupira faiblement :

— Qu'est-ce... Qu'est-ce que vous voulez?

— Qui l'a tué?

Ses épaules tremblèrent mais rien ne bougea dans sa figure.

— Qui d'autre... est au courant?

— Pour Geiger? Je ne sais pas. Pas la police, sans ça ils seraient ici. Peut-être Joe Brody.

C'était un coup que je lançais dans le noir; mais ça lui arracha un cri.

— Joe Brody! Lui!

Et puis nous nous tûmes tous les deux. Je tirais sur ma cigarette et elle se bouffait le pouce.

— Ne jouez pas les astucieuses, pour l'amour du ciel, insistai-je. C'est le moment d'adopter une simplicité antique. Brody l'a tué?

— Tué qui?

— Oh, Seigneur! dis-je.

Elle parut blessée. Son menton dégringola de cinq centimètres.

— Oui, dit-elle solennellement. C'est Joe.

— Pourquoi?

— Je ne sais pas.

Elle secoua la tête pour se persuader elle-même qu'elle ne savait pas.

— L'aviez-vous vu récemment?

Ses mains retombèrent et firent des petites boules blanches.

— Une fois ou deux. Je le déteste.

— Ainsi, vous savez où il habite.

— Oui.

— Et vous ne l'aimez plus?

— Je le déteste.

— Alors vous aimeriez que ce soit lui.

De nouveau le vide. J'allais trop vite pour elle. C'était difficile de faire autrement.

— Vous voulez bien dire à la police que c'est Joe Brody? tentai-je.

Une terreur soudaine flamba sur ses traits.

— Si je peux éliminer tout ce qui concerne cette photo décolletée, naturellement, ajoutai-je pour l'apaiser.

Elle gloussa. Ça me fit un effet déplaisant. Si elle avait hurlé, pleuré, si elle était simplement tombée raide sur le plancher, le nez en avant, ça aurait été parfait. Elle gloussa, simplement. Tout à coup, ça devenait très marrant. On lui avait pris sa photo en Isis, quelqu'un l'avait fauchée, quelqu'un avait descendu Geiger sous ses yeux, elle était plus saoule qu'un congrès d'anciens combattants et tout d'un coup c'était tellement, tellement rigolo. Alors elle gloussait. Tout ce qu'il y a de chou. Les gloussements se faisaient de plus en plus forts et tournaillaient dans les coins de la chambre comme des rats derrière les lambris. Elle allait avoir une crise d'hystérie. Je me laissai glisser à bas du bureau, m'approchai tout près d'elle et lui flanquai une gifle.

— Comme la nuit dernière, dis-je. Nous sommes crevants, tous les deux. Reilly et Sternwood, deux comédiens en quête d'auteur.

Les gloussements s'arrêtèrent net, mais elle ne fit pas plus attention à la gifle que la veille. Tous ses amis finissaient sans doute par la calotter tôt ou tard. Je commençais à comprendre leur état d'esprit. Je me rassis au bout du bureau noir.

— Vous ne vous appelez pas Reilly, dit-elle gravement. Vous êtes Philip Marlowe. Vous êtes un détective privé. Viv me l'a dit. Elle m'a montré votre carte.

Elle frotta la joue que j'avais calottée. Elle me sourit comme si j'étais un compagnon agréable.

— Bon; vous vous souvenez, dis-je. Et vous êtes revenue chercher cette photo et vous n'avez pas pu entrer dans la maison. C'est vrai?

Son menton remua de haut en bas. Elle essaya le coup du sourire. L'action était engagée contre moi; j'étais censé crier « Yippi! » dans une minute et lui proposer de partir pour Yuma.

— La photo a disparu, dis-je, j'ai cherché la nuit dernière avant de vous ramener à la maison. Sans doute Brody l'a-t-il emportée. Vous ne me racontez pas de blagues, pour Brody?

Elle secoua la tête sérieusement.

— C'est un résultat, dis-je. Inutile de continuer à y penser. Ne dites à âme qui vive que vous étiez ici, la nuit dernière ou aujourd'hui. Pas même à Vivian.

Oubliez tout simplement que vous êtes venue ici. Laissez Reilly s'occuper de ça.

— Votre nom n'est pas... commença-t-elle... et puis elle s'arrêta et hocha la tête vigoureusement pour signifier son adhésion à ce que j'avais dit ou à l'idée qu'elle venait d'avoir. Ses yeux se resserrèrent et se firent presque noirs et aussi profonds que l'émail d'un plateau de restaurant. Elle avait donc eu une idée.

— Maintenant, il faut que je rentre à la maison, dit-elle, comme si nous venions de prendre une tasse de thé ensemble.

— Certainement.

Je ne bougeai pas. Elle me lança un autre coup d'œil assassin et s'en fut vers la porte. Elle posait la main sur la poignée lorsque nous entendîmes une voiture. Elle me regarda d'un œil interrogateur. Je haussai les épaules. La voiture s'arrêta en plein devant la maison. De terreur, son visage verdit. Il y eut des pas et la sonnerie retentit. Carmen me regarda par-dessus son épaule, la main crispée sur le bouton de la porte, morte de peur. La sonnerie continua à retentir. Puis le bruit cessa. Une clé s'agita dans la serrure, Carmen fit un bond en arrière et se figea. La porte s'ouvrit. Un homme entra en coup de vent et s'arrêta net en nous regardant tranquillement, parfaitement maître de lui.

CHAPITRE XIII

C'était un homme gris, absolument gris, sauf ses chaussures noires luisantes et deux rubis piqués sur sa cravate de satin gris et qui ressèmblaient aux losanges des tapis de roulette. Sa chemise était grise, ainsi que son complet croisé merveilleusement coupé dans une flanelle moelleuse. En voyant Carmen, il enleva son chapeau gris; ses cheveux, sous son chapeau, étaient gris et fins comme si on les avait tamisés à travers de la gaze. Ses sourcils gris et fournis lui donnaient un certain petit air crâneur.

Un grand menton, un nez en bec d'aigle, des yeux gris pensifs au regard oblique à cause d'un repli de sa paupière supérieure qui couvrait le coin de la paupière elle-même.

Il resta debout poliment, une main sur la porte; l'autre, qui tenait le chapeau, tapotait doucement sa cuisse. Il avait l'air dur, pas de la dureté du dur de dur, mais plutôt celle du cavalier bien entraîné. Mais ce n'était pas un cavalier. C'était Eddie Mars.

Il ferma la porte derrière lui, mit sa main dans la poche à revers de sa veste et laissa dépasser son pouce qui faisait une tache claire dans la pénombre de la pièce. Il sourit à Carmen. Il avait un joli sourire naturel. Elle lécha ses lèvres et le regarda. La peur s'effaça de son visage. Elle lui rendit son sourire.

— Excusez cette entrée désinvolte, dit-il. La sonnette ne m'avait semblé alerter personne. M. Geiger est-il là?

J'intervins :

— Non. Nous ne savons pas où il est. Nous avons trouvé la porte ouverte. Nous sommes entrés.

Il hocha la tête et le bord de son chapeau effleura son menton effilé.

— Vous êtes de ses amis, naturellement?

— De simples relations de travail. Nous sommes venus pour un livre.

— Ah! un livre?

Il dit ça rapidement, légèrement et un peu ironiquement, estimai-je, comme s'il savait ce qu'étaient les livres de Geiger. Puis il regarda Carmen et haussa les épaules.

Je gagnai la porte.

— Nous allons filer, dis-je.

Je pris le bras de Carmen. Elle regardait Eddie Mars. Il lui plaisait.

— Pas de commission si Geiger revient? demanda aimablement Eddie Mars.

— Nous ne tenons pas à vous déranger.

— C'est très dommage, dit-il un peu trop intentionnellement.

Ses yeux gris clignèrent et se durcirent comme je passais devant lui pour ouvrir la porte. Il ajouta d'un ton détaché :

— La fille peut les mettre, j'aimerais vous parler quelques instants, militaire.

Je la lâchai, regardai l'homme d'un œil vide.

— Pas sérieux, hein? dit-il gentiment. Perdez pas votre temps. J'ai deux hommes dehors dans la voiture et ils font toujours exactement ce que je leur dis.

Carmen émit un son à mes côtés et fonça à travers la porte. Le bruit de ses pas se perdit rapidement quand elle descendit la colline. Je n'avais pas vu sa voiture; elle avait dû la laisser en bas.

— Qu'est-ce que diable... commençai-je.

— Oh! laisse tomber, soupira Eddie Mars. Il y a quelque chose de louche par ici. Je veux savoir ce que c'est. Si tu as envie de prendre du plomb dans les tripes, tu n'as qu'à rester devant moi.

— Oh! Oh! dis-je. Un dur de dur!...

— Seulement quand il le faut, militaire.

Il ne me regardait plus. Il allait dans la pièce, rembruni, sans m'accorder la moindre attention. Je regardai dehors par la fenêtre de devant, au-dessus du carreau cassé. Le haut d'une voiture dépassait la haie. Son moteur tournait au ralenti.

Eddie Mars trouva le flacon pourpre et les deux verres veinés d'or sur le bureau. Il renifla un des verres, puis le flacon. Un sourire de dégoût plissa ses lèvres.

— Le sale maquereau... dit-il d'une voix neutre.

Il regarda quelques livres, grogna, fit le tour du bureau et s'arrêta devant le petit totem et son objectif. Il l'examina et son regard tomba sur le plancher, au pied de l'appareil. Il écarta du pied le petit tapis, puis se baissa très vite, le corps tendu. Il mit un de ses genoux gris en terre. Le bureau me le cachait en partie. Il y eut une brève exclamation et il se releva. Sa main jaillit de sous sa veste et un Lüger noir apparut. Il le tenait de ses longs doigts bruns, sans me viser, sans viser personne.

— Du sang, dit-il. Du sang, ici, sous ce tapis. Beaucoup de sang.

— Pas possible? dis-je d'un air intéressé.

Il se glissa dans le fauteuil du bureau, attira à lui le téléphone groseille et fit passer le Lüger dans sa main gauche. Il fronça ses épais sourcils gris à l'adresse du téléphone, ce qui creusa une ride profonde dans la chair tannée en haut de son nez courbe.

— Je pense qu'on va inviter quelques flics, dit-il.

Je flanquai un coup de pied dans le tapis, à l'endroit où le corps de Geiger était tombé.

— C'est du vieux sang, dis-je. Du sang sec.

— On va quand même inviter quelques flics.

— Pourquoi pas? dis-je.

Ses yeux s'amincirent. Son vernis s'écaillait, laissait apparaître un dur bien habillé nanti d'un Lüger. Il n'aimait pas que je sois de son avis.

— Qui êtes-vous, sacré nom?

— Marlowe, détective.

— Jamais entendu parler. Qui est la fille?

— Cliente. Geiger essayait de lui passer la corde au cou à l'aide d'un petit chantage. On est venus discuter de ça. Il n'était pas là. La porte était ouverte, nous sommes entrés pour attendre, je ne vous l'avais pas dit?

— Commode, dit-il. La porte ouverte. Et justement vous n'aviez pas de clé.

— Non. Comment se fait-il que vous en ayez une?

— C'est votre boulot, militaire?

— Ça se pourrait.

Il eut un sourire tendu et rejeta son chapeau en arrière sur ses cheveux gris.

— Et je pourrais m'arranger pour que votre boulot soit le mien.

— Ça ne vous conviendrait pas. C'est trop mal payé.

— D'accord, petit finaud. Cette maison est à moi. Geiger est mon locataire. Qu'est-ce que ça vous dit?

— Vous fréquentez des gens adorables.

— Je les prends comme ils viennent. Il y en a de toutes les sortes.

Il regarda son Lüger, haussa les épaules et le remit sous son bras.

— Vous avez des idées, militaire?

— Des tas. Quelqu'un a tué Geiger. Quelqu'un a été tué par Geiger, qui a fichu le camp. Ou alors c'étaient deux autres types. Ou bien Geiger était grand prêtre d'un culte et il a fait un sacrifice sanglant devant ce totem. Ou alors il a mangé du poulet à dîner et il aime bien tuer les poulets dans son salon.

L'homme gris fronça les sourcils.

— J'abandonne, dis-je. Appelez plutôt vos amis du commissariat central.

— Je ne pige pas, aboya-t-il. Quel jeu jouez-vous?

— Allez-y, appelez les flics. Vous allez déclencher un fameux boucan.

Il rumina ces mots sans bouger. Ses lèvres se tendirent sur ses dents.

— Je ne pige pas ça non plus, dit-il brièvement.

— Peut-être que c'est pas votre bon jour. Je vous connais, monsieur Mars. Le Cypress Club à Las Olindas. Du gros jeu pour de gros pontes. La police de l'endroit dans votre poche et un accès aisé à Los Angeles. En d'autres termes, des protections. Geiger était dans une combine qui en avait besoin également. Peut-être que vous le protégiez un petit peu de temps en temps, considérant que c'était votre locataire.

Sa bouche eut un rictus dur et pâle.

— Geiger était dans quelle combine?

— Les livres obscènes.

Il me regarda pendant une longue minute.

— Quelqu'un l'a eu, dit-il doucement. Vous savez quelque chose. On ne l'a pas vu à la boutique aujourd'hui. Ils ne savent pas où il est. Il n'a pas répondu au téléphone ici. Je monte voir pourquoi. Je trouve du sang sur le plancher, sous un tapis. Et vous avec une fille.

— Un peu faible, dis-je. Mais vous pourrez peut-être vendre cette salade à un acheteur complaisant. Vous avez oublié un petit quelque chose, pourtant. Quelqu'un a emmené ses livres de la boutique, aujourd'hui... les jolis livres qu'il louait...

Il fit claquer sèchement ses doigts et dit :

— J'aurais dû penser à ça, militaire. Vous avez l'air d'y être. Comment arrangez-vous ça?

— Je pense que Geiger a été liquidé. Je pense que c'est son sang. Et le fait que les livres aient été déménagés indique pourquoi on a caché le corps pendant un certain temps. Quelqu'un reprend la combine et a besoin d'un petit délai pour s'organiser.

— Ça ne se passera pas comme ça, dit Eddie Mars sauvagement.

— Qui est-ce qui dit ça? Vous et une paire de tueurs dans votre voiture? Ce patelin est devenu une grande ville, Eddie. Il y a des vrais durs qui se sont amenés par ici récemment. La rançon du développement.

— Vous parlez foutrement bien, dit Eddie Mars.

Il découvrit ses dents et siffla deux coups aigus.

La porte d'une voiture claqua au-dehors et des pas accoururent en longeant la haie. Mars exhiba de nouveau son Lüger et le pointa vers ma poitrine.

— Ouvre la porte.

La serrure s'agita et une voix appela de l'extérieur. Je restai immobile. La gueule du Lüger me rappelait l'entrée du tunnel de la Deuxième Rue, mais je restai immobile. L'idée que je ne suis pas invulnérable, j'avais déjà eu le temps de m'y habituer.

— Ouvrez-la vous-même, Eddie. Qui diable êtes-vous pour me donner des ordres? Soyez gentil, et je pourrai peut-être vous tirer de là.

Il se leva d'un bloc et fit le tour du bureau jusqu'à la porte. Il l'ouvrit sans détacher ses yeux de moi. Deux hommes firent irruption dans la pièce, fort occupés à fouiller sous leurs aisselles. L'un, de toute évidence, était un lutteur, un garçon pas mal avec un nez amoché et une oreille comme un châteaubriand. L'autre était mince, blond, cadavérique et doté d'yeux mal ouverts et incolores.

Eddie Mars ordonna :

— Regardez si cet oiseau-là ne porte pas de feu.

Le blond exhiba un court pistolet et me tint en joue. Le lutteur m'aborda de biais et tâta mes poches avec soin. Je pivotai devant lui comme un mannequin désabusé qui présente une robe du soir.

— Pas d'arme, dit-il en grasseyant.

— Vois qui c'est.

Le lutteur glissa une main dans ma poche de poitrine et en sortit mon portefeuille. Il l'ouvrit et en examina le contenu.

— Eddie, c'est un nommé Philip Marlowe. Habite à Hobart Arms sur Franklin. Carte professionnelle, shérif honoraire et tout. Un privé.

Il remit le portefeuille dans ma poche, me donna un petit coup sous le nez et s'éloigna.

— Cassez-vous, dit Eddie Mars.

Les deux tueurs sortirent et fermèrent la porte. On

ne les entendit pas remonter dans la voiture. Ils mirent le moteur en marche et le laissèrent tourner.

— Ça va. Parle, aboya Eddie Mars.

Les sommets de ses sourcils dessinaient des angles aigus sur son front.

— Je ne suis pas encore prêt à tout lâcher. Tuer Geiger pour reprendre sa combine, ça serait idiot et je ne suis pas sûr que ce soit arrivé comme ça, en admettant qu'il ait été tué. Mais je suis certain que celui qui a les livres maintenant sait de quoi il retourne et que la blonde de la boutique a les foies pour une raison ou une autre. Et j'ai la vague idée du gars qui a peut-être les bouquins.

— Qui?

— C'est le morceau que je ne suis pas disposé à lâcher. J'ai un client, vous comprenez.

Il fronça son nez.

— Cette... dit-il rapidement.

— Je pensais que vous connaissiez la fille, dis-je.

— Qui a les livres, militaire?

— Pas envie de parler, Eddie. Pourquoi le ferais-je?

Il posa le Lüger sur le bureau et y fit claquer sa paume ouverte.

— Ça, dit-il. Et je pourrais aussi m'arranger pour que vous n'y perdiez pas.

— Voilà le ton que je préfère. Ne mêlez pas le revolver à tout ça. J'ai toujours une oreille qui traîne quand on me parle fric. Combien vous balancez?

— Pour faire quoi?

— Qu'est-ce que vous voulez que je fasse?

Il cogna durement sur le bureau.

— Ecoute, militaire. Je te pose une question et tu me réponds par une autre. Nous n'aboutirons à rien. Pour des raisons à moi, je veux savoir où est Geiger. Sa combine était mocharde et je ne le protégeais pas. Il se trouve que j'étais son propriétaire. Ça ne m'affole pas, maintenant. Je comprends parfaitement que tout ce que tu sais là-dessus est sous cloche, sans ça, ça serait plein de grosses pompes à clous grinçantes par ici. T'as rien à vendre. Mon idée, c'est que tu as besoin toi-même d'un peu de protection. Alors, crache.

C'était une pas mauvaise supposition, mais je n'allais pas le lui dire. J'allumai une cigarette, soufflai l'allumette et la lançai sur l'œil de verre du totem.

— Vous avez raison, dis-je. Si quelque chose est arrivé à Geiger, il faudra que je refile ce que je sais à la police. Ce qui place d'office la chose dans le domaine public et ne me laisse plus rien à vendre. Aussi, avec votre permission, je vais les mettre.

Sa figure blanchit sous son hâle. Un instant, il eut l'air méchant, rapide et dur. Il fit un mouvement pour lever son arme. J'ajoutai, désinvolte :

— Au fait, comment va Mme Mars en ce moment?

Pendant un instant, j'eus l'impression que j'avais charrié. Sa main se crispa en tremblant sur le revolver. Des muscles durs se dessinèrent sur sa figure.

— Casse-toi, dit-il doucement. Je me contrefous de ce que tu vas faire et de l'endroit où tu vas en sortant d'ici. Mais je vais te prévenir d'une chose, militaire. Ne me mêle pas à tes histoires, sinon tu regretteras de ne pas t'appeler Alice pour vivre au *Pays des Merveilles*.

— Eh bien, c'est pas si loin de Clonmel, dis-je. J'ai appris qu'un de vos copains en venait.

Il s'accouda au bureau, les yeux froids, immobile. Je gagnai la porte, l'ouvris et me retournai pour le regarder. Ses yeux m'avaient suivi, mais son corps mince et gris était resté immobile. Il y avait de la haine dans son regard. Je sortis, passai la haie, remontai la colline jusqu'à ma voiture où je grimpai. Je fis demi-tour et dépassai la crête. Personne ne me tira dessus. Quelques rues plus loin, je changeai de direction, arrêtai le moteur et m'immobilisai quelques instants. Personne ne me suivait.

Je revins à Hollywood.

CHAPITRE XIV

Il était cinq heures moins dix quand je garai ma voiture près de l'entrée de l'immeuble de Randall Place. Quelques fenêtres étaient éclairées et les radios bêlaient au crépuscule. Je pris l'ascenseur automatique jusqu'au quatrième étage et longeai un grand couloir à la moquette verte et aux panneaux ivoire. Une brise fraîche venue de la porte qui donnait sur la sortie de secours le traversait.

Un petit bouton ivoire pointait à côté de la porte ivoire marquée 405. J'appuyai dessus et attendis un temps qui me parut long. Puis la porte s'ouvrit sans bruit, de trente centimètres à peu près. La façon dont ça se passa fut rapide, furtive. L'homme avait de longues jambes, un long torse, de larges épaules et des yeux brun foncé dans une figure brune impassible qui avait appris depuis longtemps à contrôler ses expressions. Des cheveux comme de la laine d'acier plantés assez en arrière découvraient une bonne surface de front tanné qui, superficiellement, pouvait paraître abriter un cerveau. Ses yeux sombres me jaugèrent d'un air impersonnel. Ses longs doigts minces retenaient le bord de la porte.

— Geiger? fis-je comme il se taisait.

Rien de visible ne se passa sur sa figure. De derrière la porte, il fit surgir une cigarette, la planta entre ses lèvres, et en tira un peu de fumée. La fumée monta vers moi, une bouffée paresseuse, méprisante, et derrière la fumée, une voix froide, pas pressée, qui n'avait pas plus d'expression que celle d'un joueur de poker.

— Vous disiez?

— Geiger. Arthur Gwynn Geiger. Le gars qui a les livres.

L'homme soupesa ces mots sans la moindre hâte. Il regarda le bout de sa cigarette. Son autre main, celle qui tenait la porte, disparut. L'aspect de son épaule me donna à penser que cette main invisible s'affairait.

— Connais personne de ce nom, dit-il. Il habite par ici?

Je souris. Il n'apprécia pas mon sourire. Ses yeux devinrent méchants. Je dis :

— Vous êtes Joe Brody?

La figure brune se durcit :

— Et puis après? Tu me cherches, mon pote, ou est-ce que tu joues tout seul?

— Alors, vous êtes Joe Brody, dis-je. Et vous ne connaissez personne qui s'appelle Geiger. C'est très marrant.

— Oui? Tes plaisanteries sont très marrantes. Reprends-les et essaye-les autre part.

Je m'accotai à la porte et lui adressai un sourire rêveur.

— Vous avez les livres, Joe, j'ai la liste des poires. On devrait causer tous les deux.

Ses yeux ne quittèrent pas ma figure. Il y eut un léger bruit dans la pièce derrière lui, comme un anneau de rideau de fer qui se déplace doucement sur une tringle métallique. Il glissa un coup d'œil dans la pièce. Il ouvrit la porte un peu plus.

— Pourquoi pas? Si tu crois que t'as quelque chose à m'offrir? dit-il froidement.

Il s'écarta du passage. Je pénétrai dans la pièce.

C'était une pièce accueillante pourvue d'une raisonnable quantité de meubles. Des portes-fenêtres s'ouvraient dans le mur du fond sur un balcon de pierre avec vue sur le crépuscule et les collines. Près d'elles, une porte fermée sur le mur ouest et, auprès de l'entrée, une autre porte sur le même mur ouest. Cette dernière était masquée par un rideau de peluche, maintenu par une tringle de laiton mince fixée au-dessous du linteau.

Restait le mur est, qui n'avait pas d'ouvertures. Un divan en occupait le milieu et je m'y assis.

Brody ferma la porte et, d'une démarche de crabe, alla jusqu'au grand bureau de chêne orné de clous carrés. Un coffret en bois de cèdre à charnières dorées reposait sur le bureau. Il le transporta sur un fauteuil de repos à mi-chemin de deux autres portes et s'assit. Je posai mon chapeau sur le divan et attendis.

— Eh bien, j'écoute, dit Brody.

Il ouvrit la boîte à cigares et laissa choir son mégot dans le cendrier posé à côté de lui. Il introduisit un long cigare mince dans sa bouche.

— Cigare?

Il m'en expédia un par la voie des airs. Je l'attrapai au vol. Il tira de la boîte à cigares un revolver et me le braqua sous le nez. Je biglai le revolver. Un colt de la police calibre 38. Je n'avais pas de réponse prête pour le moment.

— Pas mal, hein? dit Brody. Lève-toi, une petite minute. Avance de soixante centimètres. T'as le droit de reprendre un peu ton souffle pendant ce temps-là.

C'était la voix désinvolte et travaillée du grand méchant de cinéma. Le cinéma les a tous rendus comme ça.

— Tt... Tt... dis-je, sans bouger. C'est fou ce qu'il y a comme revolvers dans cette ville et comme il y a peu de gens intelligents. Vous êtes le second type que je rencontre en l'espace de quelques heures qui se figure qu'en brandissant un pétard il va conquérir le monde entier. Posez ça et ne faites pas l'andouille, Joe.

Ses sourcils se rapprochèrent et il pointa son menton. Il avait des yeux méchants.

— Le nom de l'autre gars est Eddie Mars, dis-je. Jamais entendu parler?

— Non.

Brody continuait à me viser.

— Si jamais il sait où vous étiez la nuit dernière pendant l'orage, il vous nettoiera comme un faussaire nettoie un chèque.

— Qu'est-ce que je représenterais pour Eddie Mars? demanda froidement Brody.

Mais il reposa le revolver sur son genou.

— Pas même un souvenir, dis-je.

Nous nous dévisageâmes. J'évitai de regarder l'escarpin noir pointu qui dépassait le rideau de la porte à ma gauche.

Brody dit tranquillement :

— Ne te goure pas. Je ne suis pas un gangster... seulement prudent. Je ne sais rien du tout sur toi. Tu peux aussi bien être un tueur.

— Vous n'êtes pas assez prudent, dis-je. Ce petit jeu avec les bouquins de Geiger était d'une connerie...

Il aspira une longue gorgée d'air et la rejeta sans bruit. Puis il se renversa dans son fauteuil et croisa ses longues jambes en gardant le colt sur son genou.

— Ne te goure pas, je me servirai du feu s'il le faut, dit-il. Raconte ta salade.

— Faites sortir votre copine aux souliers pointus de derrière ce rideau. C'est épuisant de retenir sa respiration comme ça.

Brody parla sans cesser de me bigler.

— Amène-toi, Agnès.

Le rideau s'écarta et la blonde aux cuisses onduleuses de chez Geiger nous rejoignit. Elle me regarda avec une espèce de haine recuite et concentrée. Ses narines étaient contractées et ses yeux avaient foncé de deux degrés. Elle avait l'air très malheureux.

— Je le savais drôlement, que vous étiez un emmerdeur, aboya-t-elle à mon adresse. J'avais dit à Joe de faire attention où il mettait ses pieds.

— C'est pas ses pieds qu'il fallait regarder, dis-je, c'est ses fesses.

— Je suppose que c'est spirituel, ricana-t-elle.

— Ça a dû l'être, dis-je. Mais ça ne l'est sans doute plus guère.

— Te fatigue pas, me dit Brody. Je fais très attention à mes pieds. Allume un peu que j'y voie clair pour brûler ce type si ça doit se faire...

La blonde alluma l'ampoule d'un gros lampadaire carré. Elle se laissa choir dans un fauteuil à côté de la lampe et resta toute droite comme si sa gaine était trop serrée. Je fourrai mon cigare dans ma bouche et en coupai le bout avec mes dents. Le colt de Brody me regardait avec un grand intérêt pendant que je sortais mes allumettes et que j'allumais le cigare. Je dégustai la fumée et repris :

— La liste des poires dont je parle est en code. Je ne l'ai pas encore déchiffrée mais ça fait dans les cinq cents noms. A ma connaissance, vous avez douze caisses de livres. Ça doit monter à au moins cinq cents bouquins. Il y en a pas mal d'autres dehors, mais disons cinq cents en tout, pour être modeste. Si c'est une bonne liste qui fonctionne bien et si même vous ne pouvez la faire marcher qu'à cinquante pour cent, ça fait cent vingt-cinq mille dollars de revenu. Votre coquine sait tout ça : moi, je me borne à des suppositions. En mettant le prix de location aussi bas que vous voudrez, ça ne peut tout de même pas faire moins d'un dollar. Cette marchandise-là vaut du fric. A un dollar la location, vous ramassez cent vingt-cinq mille et vous conservez votre capital. Je veux dire, vous conservez le capital de Geiger. Ça vaut le coup de descendre un type.

La blonde glapit :

— Vous êtes cinglé, espèce de gros crâne d'œuf...

Brody, découvrant ses dents de côté, grinça :

— La ferme, pour l'amour du ciel, la ferme!

Elle se retira dans un mélange offensé d'angoisse diffuse et de fureur renfermée. Ses ongles argentés griffèrent ses genoux.

— C'est pas une combine pour les nouilles, dis-je à Brody presque affectueusement. Il faut un bon travailleur comme vous, Joe. Il faut reprendre confiance... et la garder. Les gens qui dépensent leur fric pour s'exciter au rabais sont nerveux comme des mémères qui ne trouvent pas les lavabos. Pour ma part, je crois que l'aspect chantage est une grosse erreur. Je serais d'avis de liquider ça et de m'en tenir aux ventes et aux abonnements réguliers.

Le regard noir de Brody me dévisagea de haut en bas. Son colt affamé toisa mes organes essentiels.

— Tu es un petit marrant, dit-il sans timbre. Qui c'est qui a cette jolie combine?

— Vous, dis-je. Ou presque.

La blonde s'étrangla et s'empoigna l'oreille. Brody ne dit rien. Il me regarda.

— Quoi? glapit-elle. Vous vous ramenez et vous essayez de nous faire croire que M. Geiger tenait une affaire de cette espèce en plein sur le boulevard? Vous êtes cinglé!

Je ricanai poliment à son adresse.

— Mais bien sûr... Tout le monde sait que la combine existe. Hollywood est le coin idéal. Si une chose comme ça existe, le boulevard est l'endroit même où les flics à la coule souhaiteront que soit la boutique. C'est pour la même raison qu'ils sont pour les quartiers réservés. Ils savent où lever le gibier quand ils en ont envie.

— Bon Dieu, se lamenta la blonde. Tu laisses cette tête de lard m'insulter, Joe? Toi, avec ton revolver, et lui qui n'a que son cigare et son pouce.

— J'aime ça, dit Brody. Le mec a de bonnes idées. Ferme ta gueule et garde-la fermée, sinon je te la boucle moi-même avec ça.

Il jouait avec son pistolet d'une façon de plus en plus négligente.

La blonde, suffoquée, se tourna vers le mur. Brody me regarda et me dit d'un ton rusé :

— Et comment j'ai fait pour me rendre maître de cette jolie combine?

— Vous avez tué Geiger pour ça. La nuit dernière, pendant l'orage. C'était un chouette temps pour faire un carton. L'ennui, c'est qu'il n'était pas seul quand vous l'avez refroidi. Ou vous ne vous en êtes pas aperçu, ce qui est improbable, ou vous avez eu les foies et mis les bouts. Mais vous avez gardé assez de sang-froid pour enlever le châssis de l'appareil-photo, et pour revenir plus tard cacher le corps de façon à arranger l'affaire des bouquins avant que la police sache qu'il était question de meurtre.

— Ouais, dit Brody, méprisant.

Le Colt gigota sur son genou. Sa figure brune était dure comme un bout de bois sculpté.

— Vous prenez des risques, m'sieur. Z'avez une foutue veine que j'aie pas liquidé Geiger.

— N'empêche que vous risquez de casser votre pipe à cause de ça, lui dis-je d'un air jovial. Question inculpation, vous êtes le pigeon idéal.

La voix de Brody s'enroua.

— Vous croyez que vous m'avez fabriqué?

— C'est indiscutable.

— Comment ça?

— Je connais quelqu'un qui parlera dans ce sens. Je vous ai dit qu'il y avait un témoin. Soyez pas bête à ce point, Joe.

Il explosa.

— Cette sacrée petite pouffe en chaleur! glapit-il. Elle le ferait, la salope! Elle le ferait!

Je me renversai en arrière et lui souris.

— Parfait. Je me doutais bien que c'était vous qui aviez ces photos d'elle à poil.

Il ne dit rien. La blonde ne dit rien. Je les laissai ruminer les nouvelles. La figure de Brody s'éclaira lentement, avec une sorte de sombre soulagement. Il posa son Colt sur la petite table du bout du bureau à côté de son fauteuil. Mais sa main droite ne s'en éloigna pas. Il fit tomber sur le tapis la cendre de son cigare et me regarda; ses yeux dessinaient une ligne luisante entre ses paupières à demi baissées.

— Je suppose que vous me prenez pour une noix, dit Brody.

— La bonne moyenne, pour un truand. Donnez les photos.

— Quelles photos?

Je secouai la tête.

— Arrêtez votre charre, Joe. Jouer l'innocent ne vous mènera à rien. Ou vous étiez là-bas la nuit dernière, ou vous avez reçu les photos de quelqu'un qui y était. Vous savez qu'elle était là-bas, puisque votre poule a menacé Mme Regan d'un tas d'ennuis avec la police — vous en saviez assez, il a donc fallu que vous assistiez à la chose ou que vous vous soyez procuré la photo en en sachant la provenance. Jaspinez et soyez raisonnable.

— Il me faudra un peu de fric, dit Brody.

Il tourna légèrement la tête pour regarder la blonde aux yeux verts; plus verts maintenant, et blonde seulement en surface. Elle était aussi flasque qu'un lapin qu'on vient de zigouiller.

— Pas de fric, dis-je.

Il fronça les sourcils désagréablement.

— Comment m'avez-vous retrouvé?

Je sortis mon portefeuille et lui montrai ma plaque.

— J'enquêtais sur Geiger pour le compte d'un client. J'étais dehors la nuit dernière, sous la pluie. J'ai entendu les coups de feu. Je suis entré. Je n'ai pas vu le meurtrier mais j'ai vu tout le reste.

— Et vous l'avez bouclée?... ricana Brody.

Je remis mon portefeuille à sa place.

— Oui, admis-je. Momentanément. Vous me donnez les photos, oui ou non?

— A propos de ces livres, dit Brody, je ne pige pas.

— Je les ai suivis ici depuis chez Geiger. J'ai un témoin.

— Ce gosse infect?

— Quel gosse infect?

Il fronça de nouveau les sourcils :

— Le gosse qui travaille à la boutique. Il s'est tiré quand le camion est parti. Agnès ne sait même pas où il crèche.

— Ça, ça m'aide, dis-je en souriant. Cet aspect de l'affaire me troublait un peu. Aucun de vous deux n'a jamais été chez Geiger avant la nuit dernière?

— Et la nuit dernière non plus, coupa Brody. Elle dit que je l'ai tué, alors?

— Les photos en main, peut-être que je pourrais la convaincre un peu de son erreur. On avait un peu bu...

Brody soupira.

— Elle ne peut pas me piffer. Je l'ai foutue dehors. J'ai été payé, d'accord, mais fallait que je le fasse quand même. Elle est trop tordue pour un type simple comme moi.

Il s'éclaircit la gorge.

— S'il y avait un peu de fric? Agnès et moi, faut qu'on change d'air.

— Rien de mon client.

— Ecoutez...

— Donne les photos, Brody.

— Oh! merde, dit-il. T'as gagné.

Il se leva, fourra le colt dans sa poche. Sa main gauche glissa de nouveau sous sa veste; et sa figure se crispait de dégoût, quand la sonnette de la porte se mit à sonner indéfiniment.

CHAPITRE XV

Ça ne lui plut pas. Sa lèvre inférieure disparut sous ses dents et ses sourcils s'abaissèrent brusquement au coin de ses yeux. Toute sa physionomie se fit aiguë, rusée et moche.

La sonnette continuait sa chanson. J'aimais pas ça non plus. Si les visiteurs étaient par hasard Eddie Mars et ses gars, je risquais un refroidissement par le seul fait de ma présence. Si c'était la police, j'étais fait et je n'avais à leur donner qu'un sourire et une promesse. Et si c'étaient des amis à Brody — en supposant qu'il en ait — possible qu'ils soient un peu moins dégonflés que lui.

La blonde, ça ne lui plaisait pas non plus. Elle se leva brusquement et une de ses mains fouetta le vide. La tension nerveuse la vieillissait et l'enlaidissait.

Sans cesser de m'observer, Brody ouvrit un petit tiroir du bureau et en sortit un pistolet à poignée d'os. Il le tendit à la blonde. Elle s'approcha de lui et le prit en tremblant.

— Assieds-toi près de lui, aboya Brody. Couvre-le, qu'on ne te voie pas de la porte. S'il fait le malin, décide toi-même. On n'est pas encore cuits, ma poupée.

— Oh! Joe... gémit la blonde.

Elle vint à moi et s'assit à mes côtés sur le divan en braquant son arme sur mon artère fémorale. Je n'aimais guère le regard égaré de ses yeux.

Le timbre de la porte cessa de bourdonner et un

martèlement impatient lui succéda. Brody mit la main dans sa poche, sur le revolver, gagna la porte et l'ouvrit de la main gauche. Carmen Sternwood le repoussa dans la pièce en collant un petit revolver sur sa figure brune et mince.

Brody recula en ouvrant et en refermant la bouche; il paniquait manifestement. Carmen ferma la porte derrière elle. Elle ne regarda ni Agnès ni moi. Elle s'approcha doucement de Brody; sa langue sortait un peu entre ses dents. Brody enleva ses deux mains de ses poches et les leva en un geste suppliant. Ses sourcils dessinèrent un curieux assortiment de courbes et d'angles. Agnès détourna de moi son arme et visa Carmen. Ma main jaillit et mes doigts se refermèrent sur les siens tandis que, du pouce, elle vérifiait le cran de sûreté. Il y était déjà. Je le maintins. Il y eut une brève lutte silencieuse, à laquelle ni Brody ni Carmen ne prêtèrent attention. Je m'emparai du revolver. Agnès respira profondément et tout son corps frissonna. La figure de Carmen avait l'air d'une tête de mort et sa respiration sifflait. Elle dit d'une voix sans timbre :

— Je veux mes photos, Joe.

Brody déglutit et tenta de sourire.

— Bien sûr, mon petit, bien sur...

Il dit ça d'une petite voix plate qui ressemblait à la voix qu'il avait prise pour me parler comme une pétrolette à un camion de dix tonnes.

Carmen reprit :

— Vous avez tué Arthur Geiger. Je vous ai vu. Je veux mes photos.

Brody devint vert.

— Eh... attendez une minute, Carmen! glapis-je.

La blonde Agnès revint à la vie en un éclair. Sa tête plongea et elle me planta ses dents dans la main. Je fis un peu de boucan et l'envoyai valser.

— Ecoutez, mon petit... sanglota Brody. Ecoutez une minute...

La blonde cracha sur moi et se jeta sur ma jambe en essayant de la mordre. Je lui cognai le crâne avec mon arme, pas très fort, et tentai de me lever. Elle roula à mes pieds et étreignit mes jambes de ses bras. Je retombai sur le divan. Le déchaînement de l'amour ou de la peur lui donnait des forces... ou peut-être un mélange des deux; ou peut-être était-elle tout simplement très forte.

Brody voulut saisir le petit revolver qui était si près de sa figure. Il le manqua. Le revolver fit un bruit sec et pas très puissant. La balle brisa la vitre d'une des portes-fenêtres qui était rabattue contre le mur. Brody poussa un affreux grognement, se jeta sur le plancher et plaqua Carmen aux pieds. Elle chut en tas et le petit revolver glissa dans un coin. Brody se mit à genoux et fouilla dans sa poche.

Je cognai la crâne d'Agnès avec un peu moins de délicatesse, la repoussai d'un coup de pied et me levai. Brody me regarda. Je lui montrai mon arme. Il renonça à sortir la sienne.

— Bon Dieu! gémit-il. Empêchez-la de me tuer!

Je me mis à rire. D'un rire imbécile, sans pouvoir me maîtriser. La blonde Agnès était assise sur le plancher, les deux mains à plat sur le tapis, la bouche ouverte, une mèche de cheveux blonds et métalliques sur l'œil droit. Carmen caracolait à quatre pattes sans cesser de siffler. L'acier de son petit revolver brillait dans la pénombre, dans le coin. Elle rampait toujours.

Je braquai mon pétard vers Brody et dis :

— Bouge pas. Tout va bien.

Je dépassai la fille à quatre pattes et ramassai le revolver. Elle me regarda et commença à glousser. Je fourrai son arme dans ma poche et lui tapotai le dos.

— Levez-vous, mon ange. Vous ressemblez à un pékinois.

Je revins à Brody, lui posai le pistolet sur l'estomac et sortis le Colt de sa poche. J'avais maintenant tous les pistolets de l'escouade. Je les rangeai dans mes poches et tendis la main vers lui.

— Donne.

Il hocha la tête en se léchant les lèvres, encore éperdu. Il tira de sa poche intérieure une enveloppe épaisse et me la tendit. Elle contenait une plaque développée et cinq épreuves glacées.

— Sûr que tout y est?

Il acquiesça de nouveau. Je mis l'enveloppe dans ma poche intérieure et me retournai. Agnès avait regagné le divan et arrangeait ses cheveux. Ses yeux enveloppèrent Carmen d'un regard vert qui distillait la haine. Carmen s'était relevée également et vint vers moi la main tendue, en continuant à glousser et à siffler comme un serpent. Un peu de bave coulait aux coins de sa bouche. Ses petites dents blanches luisaient entre ses lèvres.

— Vous me les donnez? demanda-t-elle avec un sourire faussement confus.

— Je vous les garderai. Rentrez chez vous.

— Chez moi?

Je gagnai la porte et regardai dehors. La brise fraîche du soir soufflait pacifiquement à travers le couloir. Pas de voisins excités à leur porte. Un petit revolver était parti... il avait cassé un carreau; mais ces bruits-là ne veulent plus rien dire. Je tins la porte ouverte et fis un signe de tête à Carmen. Elle vint à moi, avec un sourire hésitant.

— Rentrez chez vous et attendez-moi, dis-je d'un ton rassurant.

Elle leva son pouce. Puis elle acquiesça et se glissa dans le couloir devant moi. Elle caressa ma joue du bout du doigt et continua :

— Vous vous occuperez de Carmen, dites? roucoula-t-elle.

— D'accord.

— Vous êtes chou.

— Ce que vous avez vu n'est rien, dis-je. J'ai une danseuse balinaise tatouée sur la cuisse droite.

Ses yeux s'agrandirent.

— Vilain, dit-elle en me menaçant du doigt. (Puis elle murmura :) Vous me donnez mon revolver?

— Pas maintenant. Plus tard. Je vous le rapporterai.

Elle m'empoigna subitement par le cou et m'embrassa sur la bouche.

— Je vous aime bien, dit-elle. Carmen vous aime beaucoup.

Elle s'enfuit le long du couloir, gaie comme un pinson, me fit signe du haut des marches et disparut dans l'escalier.

Je rentrai chez Brody.

CHAPITRE XVI

Je gagnai le battant de la porte-fenêtre et examinai le carreau cassé à la partie supérieure. La balle du revolver de Carmen avait brisé la vitre comme un coup de poing, sans faire de trou. Il y en avait un petit dans le plâtre; un œil exercé le trouverait assez rapidement. Je tirai les rideaux sur le carreau cassé et sortis le revolver de Carmen de ma poche. C'était un Banker's Special, calibre 22, cartouches à balles creuses. Il avait une garde de nacre et une petite plaque ronde en argent enchâssée dans la crosse, sur laquelle étaient gravés ces mots : « Owen à Carmen ». Elle les faisait tous tourner en chèvres.

Je remis le revolver dans ma poche, m'assis près de Brody et le regardai dans les yeux. Une minute s'écoula. La blonde se refit une devanture à l'aide d'une glace de poche. Brody s'expliqua avec une cigarette et me lança :

— Satisfait?

— Pour l'instant. Pourquoi as-tu fait chanter Mme Regan et pas le vieux?

— J'ai tapé le vieux une fois. Six, sept mois de ça. J'ai pensé qu'il râlerait peut-être et qu'il préviendrait la police.

— Qu'est-ce qui t'a fait croire que Mme Regan ne lui en parlerait pas?

Il soupesa la chose avec soin en fumant sa cigarette sans cesser de me regarder. Il dit enfin :

— Vous la connaissez bien?

— Je l'ai vue deux fois. Tu dois la connaître beaucoup mieux que moi pour te risquer à la saigner avec cette photo.

— Elle couraille pas mal. Peut-être qu'elle a un ou deux points sensibles qu'elle n'a pas envie d'avouer au vieux. J'ai l'impression qu'elle peut facilement trouver cinq mille dollars.

— Un peu faible, dis-je. Mais passons. T'es fauché, hein?

— Ça fait deux mois que je frotte deux sous l'un contre l'autre en espérant qu'ils feront des petits.

— Qu'est-ce que tu fais pour vivre?

— Assurance. J'ai un bureau chez Puss Walgreen, Fulwider Building, Western et Santa Monica.

— Quand tu l'ouvres, tu l'ouvres. Les bouquins sont ici?

Ses mâchoires claquèrent et il agita une main brune. La confiance lui revenait.

— Foutre! Non... Garde-meubles.

— Tu les as fait venir ici, et puis tu as convoqué un garde-meubles pour les emmener après.

— Bien sûr. J'allais pas les faire transporter directement de chez Geiger, non?

— Pas bête, dis-je d'un ton admiratif. Rien de compromettant ici pour l'instant?

De nouveau, il eut l'air troublé. Il secoua la tête, brutalement.

— Parfait, dis-je.

Je regardai Agnès. Elle avait fini de se replâtrer et regardait le mur, l'œil vague, sans guère nous écouter. Sa figure offrait les signes de l'abrutissement qui suit un choc nerveux.

Brody cligna des yeux d'un air circonspect.

— Alors?

— Comment t'es-tu procuré la photo?

Il se renfrogna.

— Ecoutez, vous avez eu ce que vous vouliez, et pour drôlement pas cher. Vous avez réussi un beau boulot bien propre. Maintenant, allez faire votre rapport au patron. Moi, je suis blanc. Je ne sais rien d'aucune photo, pas vrai, Agnès?

La blonde ouvrit les yeux et lui jeta un regard vague, songeur et peu flatteur.

— Un type à moitié futé, dit-elle en reniflant avec dégoût. C'est tout ce que je peux avoir. Jamais un gars qui est futé jusqu'au bout. Pas une fois.

Je lui souris.

— Je vous ai fait très mal à la tête?

— Vous et tous les types que j'ai rencontrés.

Je me retournai vers Brody. Il tordait sa cigarette entre ses doigts et sa main paraissait trembler un peu. Sa figure brune et impassible était calme.

— Il faut nous mettre d'accord sur une histoire, dis-je. Par exemple, Carmen n'était pas là. Ça, c'est très important. Elle n'était pas là. T'as eu une vision d'art.

— Heu... ricana Brody. Si c'est vous qui le dites, mon vieux, et si...

Il tendit la main, la paume en l'air, et passa doucement son pouce sur son index.

J'acquiesçai.

— Nous verrons. Il y aura peut-être un petit quelque chose. Mais pas des billets de mille dollars en tout cas. Et maintenant, où t'es-tu procuré la photo?

— Un type me l'a donnée.

— Ah! Ah!... Un type que tu as rencontré dans la rue. Tu ne le reconnaîtrais pas. Tu ne l'as jamais vu.

Brody bâilla.

— C'est tombé de sa poche, ricana-t-il.

— Ah! Ah! Tu as un alibi pour la nuit dernière, tête de bois?

— Sûr. J'étais ici. Agnès avec moi. C'est ça, Agnès?

— Je vais recommencer à me faire du souci pour toi, dis-je.

Ses yeux s'ouvrirent tout grands, et sa bouche tomba, la cigarette collée à la lèvre inférieure.

— Tu te croyais malin et tu es tellement noix, dis-je. Même si tu ne tires pas la langue à Quentin, tu as du temps à passer entre quatre murs... tant de temps à passer tout seul.

Sa cigarette sauta et la cendre tomba sur sa veste.

— Tu auras le temps de te rappeler combien tu es malin, dis-je.

— Taillez-vous, grogna-t-il soudain. Mettez-les. J'en ai marre de votre blablabla. Cassez-vous.

— Ça va.

Je me levai, j'allai au grand bureau de chêne, je sortis les deux revolvers de mes poches, et les déposai sur le buvard, l'un à côté de l'autre, de façon que les deux canons soient exactement parallèles. Je ramassai mon chapeau par terre à côté du divan et gagnai la porte.

Brody glapit :

— Hé!

Je me retournai et attendis. Sa cigarette remuait comme un pantin au bout d'un ressort à boudin.

— Tout est arrangé, non? demanda-t-il.

— Mais naturellement. C'est le pays de la liberté. Tu n'es pas obligé de rester dehors si tu préfères aller en prison. C'est-à-dire, si tu es un libre citoyen. Tu es un libre citoyen?

Il me regarda en agitant la cigarette. La blonde Agnès tourna lentement la tête et me regarda de la même façon. Leurs regards renfermaient exactement le même mélange de ruse, d'inquiétude et de colère déçue. Agnès leva brusquement ses ongles argentés, s'arracha un cheveu qu'elle cassa entre ses doigts, d'une secousse brutale.

Brody reprit d'une voix tendue :

— Vous n'irez rien raconter du tout aux flics, mon vieux. Pas si vous travaillez pour les Sternwood. Je sais trop de choses sur eux. Vous avez vos photos et vous avez votre pognon. Allez vendre votre salade.

— Décide-toi, fis-je. Tu me dis de les mettre, je les mets, tu m'appelles, je m'arrête; et maintenant, je repars. C'est ça que tu veux?

— Vous n'avez rien sur moi, dit Brody.

— Deux assassinats. De la gnognote, dans ton milieu.

Il accomplit un bond de cinq centimètres en l'air, mais ça fit l'effet de cinquante. La cornée blanche de ses yeux apparut autour de ses iris bruns. La peau brune de sa figure prit un ton verdâtre à la lueur de la lampe.

La blonde Agnès poussa un gémissement animal et enfouit sa tête dans un coussin au bout du divan. J'admirai la ligne de ses longues cuisses. Brody se mouilla lentement les lèvres et dit :

— Asseyez-vous, mon pote. Peut-être que j'ai encore des petites choses à vous dire. Qu'est-ce que c'est que cette blague des deux assassinats?

Je m'adossai à la porte.

— Où étais-tu la nuit dernière vers sept heures et demie, Joe?

Sa bouche se mit à pendre tristement et il regarda le plancher.

— Je surveillais un type, un type qui avait une chouette combine pour laquelle je me disais qu'il lui fallait un associé. Geiger. Je le surveillais de temps en temps pour voir s'il était en rapport avec des gros. Je suppose qu'il a des amis, sans ça, il exposerait pas sa combine au grand jour comme ça. Mais ils ne vont pas chez lui. Rien que des poules.

— Tu n'as pas surveillé assez, dis-je. Continue.

— J'étais là, la nuit dernière, dans la rue en bas de la maison de Geiger. Il pleuvait salement, j'étais dans mon coupé et j'y voyais rien. Il y avait une bagnole devant chez Geiger, une autre un peu plus haut en montant la colline. C'est pour ça que je suis resté en bas. Il y avait une grosse Buick à côté de moi et, au bout d'un moment, je suis descendu et j'y ai filé un coup d'œil. Elle était marquée au nom de Vivian Regan. Rien n'arrivait, alors je suis foutu le camp. C'est tout.

Il agita sa cigarette. Ses yeux parcouraient ma figure.

— Possible, dis-je. Sais-tu où est la Buick, maintenant?

— Comment le saurais-je?

— Dans le garage du shérif. On l'a retirée de quatre mètres d'eau au quai du Lido ce matin. Il y avait un cadavre dedans. Un type qu'on a assommé, et puis on a dirigé la bagnole sur le quai et bloqué l'accélérateur à main.

Brody respirait bruyamment. Un de ses pieds battait la charge.

— Bon sang, mon pote, vous n'allez pas me mettre ça sur le dos?

— Pourquoi pas? La Buick, selon toi, était en bas de chez Geiger. Eh bien, Mme Regan n'est pas sortie avec. C'était son chauffeur, un nommé Owen Taylor. Il a été chez Geiger pour discuter le coup avec Geiger parce que Taylor était amoureux de Carmen et il n'aimait pas le genre de jeux auxquels Geiger jouait avec elle. Il est entré par-derrière avec une pince et un feu et il a surpris Geiger en train de prendre une photo de Carmen à poil. Alors son feu est parti, comme ça arrive souvent, et Geiger est tombé raide et Owen a foutu le camp, mais en emportant le négatif que Geiger venait de prendre. Alors tu l'as suivi et tu lui as fauché la photo. Comment est-ce que tu l'aurais sans ça?

Brody se lécha les lèvres.

— Ouais... dit-il. Mais ça ne veut pas dire que je l'ai tué. Turellement, j'ai entendu les coups et j'ai vu le tueur en train de filer et de remonter dans la Buick. Je l'ai pisté. Il est descendu jusqu'au fond du canyon et il est parti vers l'ouest sur Sunset. Passé Beverly Hills, il a quitté la route en dérapant, il a dû s'arrêter et j'ai joué les flics. Il avait un feu mais il était trop énervé et je l'ai assommé. Alors j'ai fouillé ses frusques et j'ai trouvé qui c'était et j'ai pris le châssis, par simple curiosité. Je me demandais qu'est-ce que tout ça voulait dire et je prenais la flotte, quand il s'est ranimé tout d'un coup et m'a flanqué en bas de la bagnole. Il était hors de vue avant que j'aie pu me ramasser. C'est tout ce que j'ai vu de lui.

— Comment savais-tu que c'était Geiger qu'il avait tué? demandai-je brusquement.

Brody haussa les épaules.

— Je pense que c'était lui mais je peux me tromper. Quand j'ai développé la plaque et quand j'ai vu ce qu'il y avait dessus, j'en ai été vachement sûr. Et quand Geiger n'est pas venu ce matin à la boutique et n'a pas répondu au téléphone, je l'ai été encore plus. Alors je me suis dit que c'est le moment d'emmener les bouquins et de filer un petit coup de sonde chez les Sternwood pour me payer le voyage et prendre l'air un certain temps.

J'acquiesçai.

— Ça paraît raisonnable. Peut-être que tu n'as tué personne après tout. Où as-tu caché le corps de Geiger?

Ses sourcils tressautèrent. Puis il sourit.

— Nix, nix. Passez la main. Vous vous figurez que je serais retourné là-bas pour le tripoter, sans savoir si une douzaine de cars de flics n'allaient pas s'amener en beuglant? Nix.

— Quelqu'un a caché le corps, dis-je.

Brody haussa les épaules. Son sourire ne le quitta pas. Il ne me croyait pas. Tandis qu'il persistait à ne pas me croire, le timbre de la porte se remit à vibrer. Brody se dressa, les yeux durs. Il regarda ses armes sur le bureau.

— La revoilà donc, dit-il.

— Si c'est elle, elle n'a plus son pétard, dis-je pour le rassurer. Tu n'as donc pas d'autres copains?

— Environ un seul, grogna-t-il. J'en ai marre de ce petit jeu.

Il s'approcha du bureau et prit le Colt. Il le plaqua sur son flanc et marcha vers la porte. Il posa sa main droite sur le bouton, le tourna, ouvrit la porte de trente centimètres et se pencha dans l'ouverture, en tenant l'arme serrée sur sa cuisse.

Une voix dit :

— Brody?

Brody répondit quelque chose que je n'entendis pas. Deux coups rapides et étouffés. L'arme avait dû s'appuyer tout contre le corps de Brody. Il chancela le long de la porte et le poids de son corps la ferma avec bruit. Il glissa. Ses pieds retroussèrent le tapis derrière lui. Sa main gauche se décrocha du bouton et son bras frappa le plancher avec un bruit mou. Sa tête était coincée contre la porte. Il ne bougeait plus. Sa main droite était crispée sur le Colt.

Je bondis à travers la chambre et l'écartai suffisamment pour ouvrir la porte et passer. Une femme regardait par la porte d'en face. Sa figure était terrorisée et elle montra le couloir d'une main qui ressemblait à une griffe.

Je traversai le hall en courant et entendis un bruit de pas étouffés qui descendaient l'escalier carrelé; je suivis la direction du bruit. Au niveau de l'entrée, la porte principale se refermait doucement et des pieds galopaient sur le trottoir au-dehors. Je parvins à la porte avant qu'elle soit fermée, la rouvris à l'arraché et chargeai.

Une silhouette élancée en blouson de cuir traversait la rue en diagonale entre les voitures garées. La silhouette se retourna et une flamme en jaillit. Deux coups de marteau frappèrent le mur de plâtre à côté de moi. La silhouette s'enfuit, fonça entre deux voitures, disparut.

Un homme surgit à mes côtés et aboya :

— Qu'est-ce qui s'passe?

— Ça tiraille un petit peu, dis-je.

— Nom de Dieu!

Il fila comme un lapin s'abriter dans l'immeuble.

Je descendis du trottoir et gagnai rapidement ma voiture, y grimpai et démarrai. M'écartant du trottoir, je descendis la colline, pas très vite. Pas une voiture ne bougea de l'autre côté de la rue. Je crus entendre des pas mais je n'en fus pas sûr. Je descendis la rue sur une centaine de mètres, tournai au croisement et remontai. Le son d'un sifflotement distant me parvint faiblement le long du trottoir. Puis des pas. J'arrêtai la voiture en double file, descendis, me glissai entre les deux bagnoles et me baissai doucement. Je tirai le petit revolver de Carmen de ma poche.

Le bruit des pas augmenta et le sifflotement continua, joyeux. Un instant plus tard, le blouson de cuir apparut. Je sortis de ma cachette et lançai :

— T'as du feu, vieux?

Le gars se tourna vers moi et sa main droite monta vers son blouson. Ses yeux étaient des flaques brillantes à la lueur des réverbères ronds. Des yeux sombres et humides en forme d'amande, une jolie figure pâle, des cheveux ondulés qui descendaient en formant deux pointes basses sur le front. Un très joli garçon, sans aucun doute, le garçon de chez Geiger.

Il me regarda en silence; sa main droite effleurait l'échancrure de son blouson, sans y pénétrer encore. J'avais posé le petit revolver contre ma cuisse.

— Tu devais avoir une drôle de passion pour ta douce, dis-je.

— Va te faire dorer... dit-il doucement, immobile entre les voitures et le mur de soutènement d'un mètre cinquante qui bordait l'intérieur du trottoir.

Une sirène gémit dans le lointain; elle grimpait la grande colline. La tête du garçon se tourna dans la direction du son. Je m'approchai de lui et poussai mon revolver sur son blouson.

— Les flics ou moi? demandai-je.

Sa tête roula un peu sur le côté comme si je l'avais calotté.

— Qui êtes-vous? grinça-t-il.

— Ami de Geiger.

— Foutez-moi le camp, fumier!

— C'est un petit revolver, môme. Je te lâche un pruneau dans les tripes et il te faudra trois mois pour marcher; mais tu t'en remettras. Et comme ça, tu pourras y aller à pattes, à la jolie chambre à gaz qu'ils viennent d'installer à Quentin.

— Va te faire dorer, répéta-t-il.

Sa main se glissa sous son blouson. J'appuyai un peu plus durement sur son estomac. Il laissa échapper un long soupir, retira sa main du blouson et la laissa retomber à son côté. Ses larges épaules s'effondrèrent.

— C'que vous voulez? murmura-t-il.

Je fouillai son blouson et en sortis l'automatique.

— Monte dans ma voiture, môme.

Il passa devant moi et je le fis entrer en le poussant.

— Au volant, môme. Tu conduiras.

Il se glissa derrière le volant et je m'assis à côté de lui. Je lui ordonnai :

— Attends que la brigade soit passée. Ils penseront que nous sommes partis en entendant la sirène. Et puis fais demi-tour et on ira à la maison.

J'empochai le revolver de Carmen et poussai l'automatique contre les côtes du garçon. Je regardai par la glace de derrière; le hurlement de la sirène était très fort maintenant. Deux faisceaux rouges s'agrandirent au milieu de la rue. Ils s'élargirent puis se fondirent en un seul et la voiture passa en trombe en rugissant.

— Allons-y, dis-je.

Le garçon vira et descendit la colline.

— A la maison, dis-je. A Laverne Terrace.

Ses lèvres pleines se crispèrent. Il fit tourner la voiture à l'ouest sur Franklin.

— T'es un peu simplet, dis-je. Comment t'appelles-tu?

— Carol Lundgren, dit-il d'un ton mort.

— T'as pas tué le bon, Carol. Ce n'est pas Joe Brody qui a tué ta coquine.

Il me répondit les quatre mots habituels et s'occupa de son volant.

CHAPITRE XVII

Une lune dont il ne restait que la moitié brillait à travers un halo de brouillard, entre les hautes branches des eucalyptus de Laverne Terrace. Une radio rugissait dans une maison en bas de la colline. Le garçon stoppa la voiture devant la haie carrée qui bordait la maison de Geiger, arrêta le moteur et s'immobilisa, le regard fixé droit devant lui, les deux mains sur le volant. Pas de lumière chez Geiger. Je demandai :

— Personne à la maison, fiston?

— Vous devez le savoir.

— Comment le saurais-je?

— Va te faire dorer...

— C'est en disant des choses comme ça qu'on attrape des fausses dents.

Il me montra les siennes en une grimace crispée. Puis il ouvrit la portière et sortit. Je le suivis. Il mit ses poings sur ses hanches et contempla sans mot dire la maison par-dessus la haie.

— Parfait, dis-je. Tu as une clé? Entrons.

— Qui est-ce qui a dit que j'avais une clé?

— Fais pas l'idiot, fiston. La tata t'en a donné une. T'as une gentille chambre de petit homme, ici. Il te vidait et il la fermait quand des dames venaient le voir. C'était un type genre César, un mari pour les femmes et une femme pour les maris. Tu crois que je ne me rends pas compte de ce que vous êtes?

Je tenais toujours l'automatique braqué vers lui, mais

il m'envoya son poing tout de même. Ça m'arriva en plein menton. Je fis un pas en arrière assez rapidement pour ne pas tomber, mais j'encaissai les trois quarts du gnon. Ça devait en principe être un méchant coup, mais les pédés n'ont rien dans les os, quel que soit leur format.

Je jetai le revolver à ses pieds et dis :

— Peut-être que t'as besoin de ça.

Il se baissa en un éclair. Ses mouvements, eux, n'avaient rien de mou. Je lui flanquai mon poing sur la nuque. Il trébucha et tomba de côté, en tentant de saisir l'arme sans y parvenir. Je la ramassai et la balançai dans la voiture. Le garçon se releva à quatre pattes et me regarda méchamment de ses yeux trop grands ouverts. Il toussa et secoua la tête.

— T'as pas envie de te battre, lui dis-je. T'es trop lourdingue.

Il voulait se battre quand même. Il fonça vers moi comme un avion catapulté, tenta de me plaquer aux genoux. Je fis un pas de côté, visai son cou et réussis à l'empoigner, par un coup de veine. Il racla durement la poussière mais il put se ramasser à temps pour me toucher là où ça fait mal. Je le tordis un peu et le soulevai plus haut. Je saisis son poignet droit de la main gauche et lui expédiai ma hanche dans le flanc; un moment, ce fut une question d'équilibre. Nous étions en train de nous balancer dans le clair de lune brumeux, deux créatures grotesques dont les pieds raclaient la route et dont les respirations haletaient sous l'effort.

J'avais maintenant placé mon bras droit contre sa trachée et j'utilisais la force de mes deux bras. Ses pieds commencèrent une danse frénétique et il cessa de haleter. Il était ligoté. Son pied gauche dérapa et le genou se ramollit. Je tins une minute de plus. Il s'affaissa sur mon bras, masse énorme que je pus à peine retenir. Je lâchai. Il s'étala à mes pieds, knock-out. Je gagnai la voiture et j'en tirai une paire de menottes et, les lui ramenant derrière le dos, je la bouclai sur ses poignets. Je le pris sous les aisselles et me débrouillai pour le traîner derrière la haie, hors de vue de la rue. Je revins à la voiture, la conduisis trente mètres plus haut et la fermai.

Il était encore dans les pommes quand je revins. J'ouvris la porte, le traînai dans la maison, refermai. Il se mit à hoqueter. J'allumai une lampe. Ses yeux papillotèrent et se posèrent lentement sur moi. Je me penchai en évitant de rester à portée de ses genoux, et dis :

— Tiens-toi tranquille, sinon je recommence, en un peu plus dur. Tiens-toi tranquille et retiens ta respiration. Retiens-la jusqu'à ce que tu ne puisses plus, et à ce moment-là, dis-toi qu'il faut absolument que tu respires, que tu as la figure toute noire, que tes yeux vont te tomber des joues... et que tu vas respirer maintenant, mais que tu es ficelé sur le fauteuil dans la jolie petite chambre à gaz de Saint-Quentin; et quand tu respireras cet air que tu luttes de toutes tes forces pour ne pas avaler, ça ne sera pas de l'air qui viendra, mais du cyanogène... Et c'est ça qu'on appelle une exécution humanitaire dans notre Etat, maintenant.

— Va te faire dorer, dit-il dans un soupir doux et mal assuré.

— Tu y as droit, à l'inculpation, mon vieux, faut pas te faire d'illusions. Et tu diras exactement ce que nous voudrons et rien de ce que nous ne voudrons pas.

— Va te faire dorer.

— Répète et je te colle un oreiller sous la tête.

Sa bouche se tordit. Je le laissai étendu sur le plancher, les poignets croisés derrière le dos, la joue collée au tapis; une lueur animale brillait dans son œil visible. J'allumai une seconde lampe et passai dans le hall derrière le living-room. La chambre de Geiger paraissait intacte. J'ouvris la porte de la chambre opposée qui n'était pas fermée. Il y régnait une faible lumière dansante et une odeur de santal. J'avisai deux cônes d'encens consumés côte à côte sur un petit plateau de cuivre posé sur le bureau. La lumière provenait de deux bougies noires fichées dans de grands chandeliers. Ceux-ci reposaient sur des fauteuils à dossier droit, un de chaque côté du lit.

Geiger était étendu sur le lit. Les deux panneaux de broderie chinoise manquants formaient une croix de Saint-André sur son corps, tout en dissimulant le devant, taché de sang, de sa tunique chinoise. Sous la croix, les deux jambes de son pyjama noir étaient droites et rigides. Ses pieds portaient des babouches aux épaisses semelles de feutre blanc. Plus haut, ses bras étaient croisés et ses mains reposaient sur ses épaules, les paumes à plat, les doigts joints et bien allongés. Sa bouche était fermée et sa moustache à la Charlie Chan aussi fausse qu'un postiche. Son grand nez était pincé et livide, ses yeux fermés mais pas complètement. Le faible éclat de son œil de verre accrochait la lumière et semblait cligner en me regardant.

Je ne le touchai pas et j'évitai de m'approcher trop près de lui. Il devait être froid comme la glace et raide comme une planche.

Les bougies noires coulaient sous l'effet du courant d'air de la porte. Des gouttes de cire noire roulèrent tout du long.

L'air de la chambre me parut vicié, irréel. Je sortis, refermai la porte et revins au living-room. Le garçon n'avait pas bougé. Je m'attendais à entendre les sirènes. Tout revenait à savoir quand Agnès parlerait et ce qu'elle dirait. Si elle parlait de Geiger, la police serait là d'un instant à l'autre. Mais elle ne parlerait peut-être pas avant des heures. Elle avait peut-être même foutu le camp.

Je regardai le garçon.

— Tu veux t'asseoir, fiston?

Il ferma son œil et fit mine de dormir. Je gagnai le bureau, décrochai le téléphone groseille et composai le numéro du bureau de Bernie Ohls. Il était rentré chez lui à six heures. J'appelai son numéro personnel. Il était là.

— Ici Marlowe, dis-je. Vos hommes ont trouvé un revolver sur Owen Taylor, ce matin?

Je l'entendis s'éclaircir la gorge et je sentis à sa voix qu'il essayait de dissimuler sa surprise.

— Ça, ça tombe sous la responsabilité de la police, dit-il.

— Si oui, il y avait trois douilles vides dedans.

— Comment diable savez-vous ça? demanda Ohls tranquillement.

— Venez au 7244 Laverne Terrace, au-dessus de Laurel Canyon Boulevard. Je vous montrerai où sont les pruneaux.

— Aussi simple que ça, hein?

— Aussi simple que ça.

Ohls dit :

— Penchez-vous à la fenêtre et vous me verrez tourner le coin. Je me disais aussi que vous vous montriez un peu trop cachottier dans toute cette affaire.

— Cachottier n'est pas le mot, dis-je.

CHAPITRE XVIII

Ohls, debout, regardait le gars. Celui-ci était assis sur le divan, accoté au mur. Ohls le considérait sans mot dire, ses sourcils pâles ébouriffés, raides et boulus comme les petites brosses végétales du bonhomme des Brosses Fuller.

Il lui demanda :

— Reconnaissez-vous avoir tué Brody?

L'autre, d'une voix sourde, lui lança ses quatre mots préférés.

Ohls soupira et me regarda. J'intervins :

— Il n'est pas obligé de le reconnaître. J'ai son arme.

— Je donnerais gros, dit Ohls, pour avoir autant de dollars que j'ai eu d'occasions d'entendre les gens me dire ça. Qu'est-ce que ça a de drôle?

— Ça n'était pas prévu pour l'être, dis-je.

— Ben, c'est déjà quelque chose, dit Ohls.

Il se détourna.

— J'ai appelé Wilde. Nous allons lui amener cette ordure. Il va venir avec moi et vous nous suivrez au cas où il essaierait de me flanquer son pied dans la figure.

— Qu'est-ce que vous dites de ce que vous avez trouvé dans la chambre à coucher?

— Fameux, dit Ohls. En un sens, je suis ravi que ce petit Taylor se soit foutu dans la flotte. J'aurais détesté l'envoyer au fauteuil pour la mort de cette lope.

Je retournai dans la chambre à coucher, soufflai les

bougies noires et les laissai fumer. Quand je revins dans le living-room, Ohls avait fait lever le gars. Ce dernier le regardait de ses yeux noirs et acérés; son dur visage était blanc comme du gras de mouton froid.

— Allons-y, dit Ohls.

Il le prit par le bras avec un certain dégoût. J'éteignis les lampes et les suivis au-dehors. Nous montâmes dans nos voitures et je roulai derrière les feux jumelés de Ohls le long de la colline courbe. J'espérais que ce serait ma dernière visite à Laverne Terrace.

Taggard Wilde, le procureur du district, habitait au coin de la Quatrième Avenue et de Lafayette Park dans une maison de charpente blanche grande comme un vaste garage avec une porte cochère en grès rouge d'un côté et un hectare de belle pelouse sur le devant. C'était une de ces solides baraques du bon vieux temps qu'il était d'usage de transporter d'un seul bloc à un nouvel emplacement à mesure que la ville s'étendait vers l'ouest. Wilde, issu d'une vieille famille de Los Angeles, était probablement né dans la maison quand celle-ci se trouvait sur West Adams, Figueroad ou St. James Park.

Il y avait déjà deux voitures dans l'allée, une grosse conduite intérieure particulière et une voiture de police avec un chauffeur en uniforme qui fumait, adossé au garde-boue arrière, en regardant la lune. Ohls s'approcha de lui et lui parla, et le chauffeur se mit à surveiller le garçon dans la voiture d'Ohls.

Nous montâmes jusqu'à la maison et sonnâmes. Un blond aux cheveux plaqués ouvrit la porte et nous escorta à travers le hall jusqu'à un immense living-room en forme de caverne et garni de lourds meubles noirs, puis par un autre couloir situé à l'extrémité du living-room jusque devant une porte à laquelle il frappa. Il entra, puis la maintint ouverte et nous introduisit dans un bureau lambrissé au bout duquel j'avisai une porte-fenêtre qui donnait sur un jardin sombre et des arbres pleins de mystère. Le parfum de la terre humide et des fleurs entrait dans la pièce. Les murs étaient ornés de grands tableaux à l'huile et il y avait des fauteuils confortables, des livres, une odeur de cigare de luxe qui se mêlait à celle de la terre et des fleurs.

Taggard Wilde, un homme gras, d'âge moyen, et doté d'yeux bleu clair qui s'arrangeaient pour faire croire que leur manque d'expression avait l'air amical, était assis à son bureau. Il avait devant lui une tasse de café, et les doigts propres et soignés de sa main gauche tenaient un mince cigare bosselé. Un autre homme était assis à l'angle du bureau dans un fauteuil de cuir bleu, un type au visage taillé à coups de serpe et aux yeux froids, maigre comme un crochet à feu et dur comme le gérant d'une boutique d'usurier. Sa figure propre et bien soignée semblait avoir été rasée dans l'heure qui venait de s'écouler. Il portait un complet marron au pli impeccable et une perle noire ornait sa cravate. Il avait les longs doigts nerveux d'un homme à l'esprit rapide. Il paraissait paré pour la bagarre.

Ohls attira à lui un fauteuil, s'assit et dit :

— Bonsoir, Cronjager. Je vous présente Phil Marlowe, un détective privé qui est dans un fameux pétrin.

Ohls sourit.

Cronjager me regarda sans bouger. Il me bigla comme il aurait scruté une photographie. Puis il inclina son menton de deux centimètres environ.

Wilde prit la parole :

— Asseyez-vous, Marlowe. Je vais tâcher d'influencer le capitaine Cronjager, mais vous savez ce que c'est... Cette ville a grandi.

Je m'assis et allumai une cigarette. Ohls regarda Cronjager et demanda :

— Qu'est-ce que vous savez sur le meurtre de Randall Place?

L'homme au visage taillé à coups de serpe tira sur un de ses doigts jusqu'à faire craquer sa jointure. Il parla sans lever les yeux.

— Un mort, deux balles dans la peau. Deux revolvers qui n'avaient pas servi. Dans la rue, en bas, on a pincé une blonde qui essayait de mettre en marche une autre voiture que la sienne. La sienne était juste à côté, le même modèle. Elle était un peu agitée. Alors mes hommes l'ont emmenée et elle a craché. Elle était là-bas quand ce Brody s'est fait avoir. Affirme qu'elle n'a pas vu le meurtrier.

— C'est tout? demanda Ohls.

Cronjager leva un peu les sourcils.

— C'est arrivé il y a une heure. Qu'est-ce que vous espériez? Un film complet du meurtre?

— Peut-être une description du tueur, dit Ohls.

— Un grand gars en blouson de cuir... si on peut appeler ça une description.

— Il est dehors dans ma bagnole, dit Ohls, menottes aux mains. C'est Marlowe qui l'a pincé pour vous. Voilà son pétard.

Ohls tira de sa poche le revolver du garçon et le posa sur le coin du bureau de Wilde. Cronjager regarda l'arme mais ne daigna pas y toucher.

Wilde s'esclaffa. Il s'était renversé en arrière et tirait sur son cigare sans rien perdre du spectacle. Il se pencha pour boire une gorgée de café. Il tira de la petite poche latérale de son smoking un mouchoir de soie dont il se tamponna les lèvres et qu'il remit à sa place.

— Cette affaire est reliée à deux autres crimes, dit Ohls en pinçant la chair de son menton.

Cronjager se raidit visiblement. Ses yeux maussades se muèrent en deux pointes métalliques.

Ohls continua :

— Vous êtes au courant d'une voiture qu'on a retirée du Pacifique au Quai du Lido ce matin, avec un cadavre dedans?

Cronjager dit : « Non », et il garda son air méchant.

— Le cadavre de la voiture était le chauffeur d'une riche famille, dit Ohls. On faisait chanter la famille en question au sujet d'une des filles. M. Wilde a recommandé Marlowe à la famille par mon intermédiaire. Marlowe a joué plutôt serré.

— J'adore les détectives privés qui jouent serré quand il s'agit de meurtre, gronda Cronjager. Vous m'avez l'air d'être foutrement réservé sur le sujet... rien ne vous y force...

— Voui... dit Ohls. Rien ne me force à être aussi

foutrement réservé... C'est pas foutrement souvent que j'ai l'occasion d'être réservé avec un flic municipal... D'habitude, je passe mon temps à leur dire à quel endroit mettre leurs pieds pour ne pas se casser la gueule.

Les ailes du nez aigu de Cronjager pâlirent. Sa respiration siffla doucement dans la pièce silencieuse. Il dit d'une voix très calme :

— Vous n'avez jamais eu besoin de dire ça à aucun de mes gars, gros malin...

— On va voir ça... dit Ohls. Le chauffeur dont je parle et qui s'est fichu à l'eau au Lido a tué un type la nuit dernière dans votre secteur. Un type du nom de Geiger qui dirigeait une combine de bouquins obscènes dans une boutique de Hollywood Boulevard. Geiger vivait avec le salaud qui est dehors dans ma voiture. Je dis : vivait avec lui; je suppose que vous pigez.

Cronjager le regardait maintenant bien en face.

— J'ai l'impression que ça va être une histoire assez dégueulasse, dit-il.

— D'après mon expérience, la plupart des histoires de police le sont, grogna Ohls en se tournant vers moi, le sourcil hirsute. A vous l'antenne, Marlowe. Racontez-lui.

Je lui racontai.

Je passai deux choses sous silence, et je me demandai sur le moment pourquoi j'omettais l'une de ces deux choses. Je ne mentionnai ni la visite de Carmen à l'appartement de Brody ni celle d'Eddie Mars l'après-midi chez Geiger. Je racontai le reste comme ça s'était passé.

Les yeux de Cronjager ne quittèrent pas mon visage et, tout le temps que je parlai, le sien ne revêtit aucune expression. Lorsque je me tus, il resta complètement silencieux pendant un long moment. Wilde ne disait rien, buvait son café, tirait tranquillement sur son cigare bosselé. Ohls contemplait un de ses pouces.

Lentement, Cronjager se renversa dans son fauteuil, posa une cheville sur son genou et frotta la cheville en question de sa main nerveuse et maigre. Sa figure mince avait une expression froide et âpre. Il dit d'un ton de politesse glacée :

— En somme, tout ce que vous avez fait, c'est d'omettre de rendre compte d'un meurtre qui a été commis hier soir et de passer la journée d'aujourd'hui à fureter partout; de sorte que le coquin de Geiger a pu en commettre un second ce soir.

— C'est tout, dis-je. J'étais dans une sale situation. J'imagine que j'ai eu tort, mais je voulais protéger mon client et je n'avais aucune raison de supposer que le garçon irait descendre Brody.

— Ce genre de supposition est du ressort de la police, Marlowe. Si la mort de Geiger avait été connue hier soir, jamais on n'aurait pu transporter les livres chez Brody. Le garçon n'aurait pas été chez Brody et ne l'aurait pas descendu. Brody vivait en sursis, soit, comme les gens de son espèce. Mais la vie d'un homme est la vie d'un homme.

— Très juste, dis-je. Dites ça à vos hommes la prochaine fois qu'ils descendront un pauvre petit filou à la manque en train de galoper dans une rue en emportant trois bananes.

Wilde posa ses deux mains sur son bureau avec un bruit retentissant.

— Ça suffit, coupa-t-il. Pourquoi êtes-vous si sûr, Marlowe, que ce Taylor a descendu Geiger? Même si on a retrouvé l'arme avec laquelle Geiger a été tué sur le corps de Taylor dans la voiture, il ne s'ensuit pas obligatoirement que celui-ci soit le meurtrier. L'arme a pu être mise là — disons par Brody, le véritable assassin.

— C'est matériellement possible, dis-je, mais moralement, non. Ça implique trop de coïncidences et en plus ça ne correspond pas du tout au caractère de Brody et de sa bonne femme, ni au caractère de ce qu'il essayait de faire. J'ai parlé à Brody assez longuement. C'était un escroc, mais pas le genre tueur. Il avait deux pistolets, mais pas sur lui. Il tâchait de trouver un moyen de s'introduire dans la combine de Geiger, qu'il connaissait naturellement en détail par la femme. Il m'a dit qu'il surveillait Geiger pour voir s'il n'avait pas de gros protecteurs derrière lui. Je le crois. Supposer qu'il a tué Geiger pour faucher ses livres, qu'il a filé avec la photo que Geiger venait de prendre de Carmen Sternwood à poil, qu'il a mis le revolver dans la poche d'Owen Taylor et flanqué celui-ci dans la flotte au Lido, c'est bougrement trop. Taylor avait une raison : il était fou de jalousie; et il avait une occasion de tuer Geiger. Il était sorti sans permission avec une des voitures de ses patrons. Il a tué Geiger sous les yeux de la fille, ce que Brody n'aurait jamais fait, même si ç'avait été un tueur. Je ne peux pas concevoir que quelqu'un qui porte à Geiger un intérêt purement commercial ait fait ça. Mais Taylor en était capable. Le truc de la photo à poil représentait exactement le mobile valable.

Wilde s'esclaffa et regarda Cronjager de côté.

Cronjager se racla la gorge en reniflant. Wilde demanda :

— Qu'est-ce que c'est que cette histoire de corps planqué? Ça, je ne vois pas.

J'expliquai :

— Le gamin ne nous l'a pas dit mais c'est lui qui a dû le faire. Brody ne serait pas entré dans la maison après la mort de Geiger. Le garçon a dû y aller pendant que je ramenais Carmen chez elle. Il avait peur de la police, naturellement, étant ce qu'il est, et il a sans doute pensé que ce serait une bonne idée de cacher le corps jusqu'à ce qu'il ait sorti ses affaires de la maison. Il l'a traîné à la porte d'entrée, à en juger d'après les marques du tapis, et très probablement l'a fourré dans le garage. Et puis il a empaqueté ses affaires et a tout emmené. Plus tard, pendant la nuit, avant que le corps soit complètement raide, il a eu honte de lui-même et il a pensé qu'il venait de traiter son ami pas très gentiment. Il est revenu et l'a déposé sur le lit. Tout ça n'est qu'une supposition, naturellement.

Wilde acquiesça :

— Et ce matin, il est allé à la boutique comme si

rien ne s'était passé et il a ouvert l'œil. Quand Brody a emmené les bouquins, il a cherché où ils allaient et il a supposé que celui qui les avait fauchés venait de tuer Geiger à cause d'eux. Peut-être même en savait-il sur Brody et la fille beaucoup plus qu'ils ne le croyaient. Qu'en pensez-vous, Ohls?

Ohls répondit :

— Nous le saurons bien... mais ça ne diminue en rien les soucis de Cronjager. Ce qui le martyrise, c'est que tout ça s'est passé la nuit dernière et qu'on vient seulement de le lui apprendre.

Cronjager dit amèrement :

— Je suppose que je trouverai un moyen de m'arranger de ça aussi.

Il me lança un coup d'œil aigu et détourna immédiatement son regard.

Wilde agita son cigare et dit :

— Montrez-nous les pièces à conviction, Marlowe.

Je vidai mes poches et posai le tout sur son bureau : les trois reçus et la carte de Geiger au général Sternwood, les photos de Carmen et le carnet bleu avec la liste des noms et des adresses en code. J'avais déjà donné les clés de Geiger à Ohls.

Wilde regarda ce que je lui tendais en tirant doucement sur son cigare. Ohls alluma un de ses joujoux et se mit à envoyer tranquillement sa fumée au plafond... Cronjager se pencha sur le bureau et examina ce que j'avais donné à Wilde.

Wilde tapota les trois reçus signés de Carmen et dit :

— Je suppose que ce n'était qu'un commencement. Si le général Sternwood les avait payés, ç'eût été par peur de quelque chose de pire. Et alors Geiger lui aurait serré la vis.

Je secouai la tête.

— Avez-vous raconté votre histoire complètement et dans tous les détails?

— J'ai laissé de côté une ou deux questions personnelles, dis-je. J'ai l'intention de continuer, monsieur Wilde.

Cronjager dit : « Hah! » et renifla de façon profondément expressive.

— Pourquoi? demanda tranquillement Wilde.

— Parce que mon client a droit à cette protection, jusqu'au tribunal exclusivement. J'ai une licence qui m'autorise à exercer la profession de détective privé. Je suppose que le mot « privé » a un certain sens. La Division de Hollywood a deux assassinats sur les bras, parfaitement clairs. Elle a les deux meurtriers. Elle a les preuves et l'arme dans chacun des deux cas. Le côté chantage doit être passé sous silence, en ce qui concerne les noms des victimes.

— Pourquoi? demanda Wilde une seconde fois.

— C'est parfait, dit Cronjager sèchement. Nous serons heureux de raconter des bobards pour rendre service à un privé de sa distinction.

Je répliquai :

— Je vais vous montrer quelque chose.

Je me levai et allai jusqu'à ma voiture. J'y pris le livre qui venait de chez Geiger. Le chauffeur en uniforme était debout à côté de la voiture de Ohls. Le garçon était dedans, accoté au coin le plus éloigné.

— Il a dit quelque chose? demandai-je.

— Il m'a suggéré quelque chose, dit le flic qui cracha par terre. Ça ne me dit rien.

Je regagnai la maison, posai le livre sur le bureau de Wilde et défis le papier. Cronjager téléphonait. Il raccrocha et s'assit au moment où j'entrais.

Wilde parcourut le livre d'un œil impassible, le ferma et le poussa vers Cronjager. Cronjager l'ouvrit, examina quelques pages et le ferma rapidement. Deux taches rouges grandes comme des pièces de cent sous apparurent sur ses pommettes.

Je suggérai :

— Regardez les dates marquées sur la page de garde.

Cronjager rouvrit le livre et les consulta :

— Eh bien?

— Si c'est nécessaire, dis-je, je témoignerai sous serment que ce livre vient de la boutique de Geiger. La blonde Agnès avouera le genre de trafic qui s'y passait. Il est évident pour tous ceux qui ont des yeux que cette boutique sert de façade à quelque chose. Mais la police de Hollywood la laisse courir pour des raisons à elle. J'ose prétendre qu'un jury aimerait à connaître ces raisons.

Wilde sourit. Il intervint :

— C'est vrai, les jurys posent quelquefois de ces questions embarrassantes dans le souci généralement vain de découvrir pourquoi les villes sont administrées comme elles le sont.

Cronjager se leva brusquement et mit son chapeau.

— Je suis à un contre trois ici, glapit-il. Je suis un type de la Criminelle. Si ce Geiger vendait de la littérature dégueulasse, ça n'est pas mes oignons, mais je suis prêt à admettre que ça n'avancera pas du tout mon service de voir ça dans les journaux. Qu'est-ce que vous voulez, vous autres?

Wilde regarda Ohls. Ohls dit avec calme :

— Je veux vous remettre un prisonnier. Allons-y.

Il se leva. Cronjager le regarda férocement et sortit de la pièce. Ohls le suivit. La porte se referma. Wilde pianota son bureau et me regarda de ses yeux bleus.

— Vous devriez comprendre ce qu'un flic peut éprouver devant ce genre de cachotteries, dit-il. Il faudra que vous fassiez votre déposition sur tout ça, au moins pour les archives. Je pense qu'il est possible de passer le rapport entre les deux crimes sous silence et d'éviter de mêler à l'un ou à l'autre le nom du général Sternwood. Savez-vous pourquoi je ne vous fends pas l'oreille?

— Non. Je m'attendais à avoir les deux oreilles fendues.

— Qu'est-ce que vous touchez pour ça?

— Vingt-cinq dollars par jour et mes frais.

— Ça fait cinquante dollars et un peu d'essence, au total?

— A peu près.

Il inclina la tête de côté et se frotta le menton avec le dos de son petit doigt.

— Et pour ce prix-là, vous allez vous mettre à dos la moitié de la police du comté?

— Ça ne vous plaît pas, dis-je. Mais, sacré nom, qu'est-ce que vous voulez que je fasse? Je suis sur une affaire, je vends ce que j'ai à vendre pour gagner ma vie. Le peu de choses que j'ai dans les tripes et le peu de matière grise que le Seigneur m'a donnés..., sans oublier ma bonne volonté à me faire rentrer dedans quand je défends les intérêts de mon client. C'est contre mes principes d'en dire autant que j'en ai dit ce soir sans consulter le général. Quant à mes cachotteries, vous le savez, j'ai moi-même appartenu à la police. Il y en a treize à la douzaine dans toutes les grandes villes. Les flics sont très sévères et très nobles quand un qui n'en est pas essaie de dissimuler quelque chose, mais eux-mêmes le font tous les deux jours pour rendre service à leurs amis ou à n'importe qui pourvu qu'il ait un peu d'influence. Et je n'ai pas fini, je suis encore sur l'affaire. Je referais la même chose si c'était à refaire.

— A condition que Cronjager ne vous retire pas votre licence, grogna Wilde. Vous avez dit que vous gardiez pour vous un ou deux détails personnels. De quelle importance?

— Je suis toujours sur l'affaire, répondis-je en le regardant dans les yeux.

Wilde me sourit. Il avait le sourire franc et ouvert des Irlandais.

— Permettez-moi de vous dire quelque chose, fiston. Mon père était un ami intime du vieux Sternwood. J'ai fait tout ce que me permettait ma charge — et même pas mal en plus — pour éviter des soucis au vieux. Mais ça ne peut pas durer tout le temps. Ses filles sont certainement parties pour s'enfoncer dans des pastis qu'on ne pourra pas étouffer — surtout cette salope de petite blonde. On ne devrait pas leur laisser la bride sur le cou. J'en veux au vieux à cause de ça. Je suppose qu'il ne se rend pas compte de ce qu'est le monde maintenant. Mais il y a autre chose que je voulais vous dire pendant que nous parlons d'homme à homme et que je ne suis pas obligé de vous engueuler. Je parie un dollar contre un sou canadien que le général a peur que son gendre, l'ex-trafiquant d'alcool, ne soit embringué dans une sale affaire, et que ce qu'il voulait, c'est que vous lui prouviez que non. Qu'est-ce que vous en pensez?

— D'après ce que j'ai entendu dire de lui, Regan n'a pas l'air d'un maître chanteur. Il avait trouvé un coin tranquille là où il était et il est parti malgré ça.

Wilde renifla.

— La tranquillité de ce coin, ni vous ni moi ne pouvons en juger. Si c'est un homme d'une certaine espèce, ce n'était peut-être pas si agréable que ça. Le général vous a-t-il dit qu'il cherchait Regan?

— Il m'a confié qu'il voudrait savoir où il était et s'il se portait bien. Il aimait Regan et il a eu de la peine quand l'autre a disparu sans même lui dire au revoir.

Wilde se renversa en arrière et se renfrogna.

— Je vois, dit-il d'une voix changée.

De la main, il éparpilla les documents posés sur son bureau, mit de côté le carnet bleu de Geiger et poussa les autres pièces vers moi.

— Vous ferez aussi bien de les reprendre, dit-il. Je n'en ai plus besoin.

CHAPITRE XIX

Il était près de onze heures quand je rentrai ma voiture et gagnai à pied la façade du Hobart Arms. La porte de verre était fermée à dix heures; aussi je dus utiliser mes clés. A l'intérieur, dans le hall carré et désolé, un homme posa un journal du soir à côté d'un palmier en pot et jeta un mégot dans le bassin où poussait le palmier. Il se leva et souleva son chapeau à mon adresse en disant :

— Le patron veut vous parler. Sûr que vous faites attendre vos amis, mon pote.

Je m'arrêtai et considérai le nez écrasé et l'oreille en chateaubriand.

— A quel sujet?

— Qu'ça peut vous faire? Tenez-vous le nez propre et tout ira au poil.

Sa main s'approcha de la boutonnière du haut de sa veste.

— Je pue le flic, dis-je. Je suis trop fatigué pour parler, trop fatigué pour bouffer, trop fatigué pour réfléchir. Mais si tu supposes que je ne suis pas trop fatigué pour recevoir des ordres d'Eddie Mars, essaye d'attraper ton feu avant que je te fasse sauter ta bonne oreille.

— Mon œil. Vous n'avez pas de pétard.

Il me regarda en face. Ses sourcils noirs et raides se rapprochèrent et sa bouche s'incurva vers le bas.

— C'était tantôt, dis-je. Je ne suis pas toujours tout nu.

Il fit un geste de la main gauche.

— Ça va. Vous avez gagné. Je n'ai pas l'ordre de buter les mecs. Vous entendrez parler de lui.

— Le plus tard sera encore trop tôt, dis-je en pivotant lentement comme il passait devant moi en gagnant la porte.

Il l'ouvrit sans se retourner. Je souris de ma propre inconscience, dépassai l'ascenseur et montai à mon appartement. Je tirai le revolver de Carmen de ma poche et rigolai en le regardant. Puis je le nettoyai avec soin, le huilai, l'enveloppai dans un morceau de laine et l'enfermai. Je me préparai un verre et j'étais en train de le boire quand le téléphone sonna. Je m'assis à côté de la table sur laquelle il était posé.

— Alors, on est coriace ce soir? dit la voix d'Eddie Mars.

— Enorme, rapide, coriace et plein de piquants. Qu'est-ce que je peux faire pour vous?

— Y a des flics là-bas. Vous savez où. Vous avez évité de parler de moi?

— Pourquoi l'aurais-je fait?

— Vaut mieux être gentil avec moi, militaire. Je ne suis pas très gentil quand on n'est pas gentil.

— Ecoutez bien, vous m'entendrez claquer des dents.

Il rit sèchement.

— Oui? Ou non?

— Je n'ai rien dit. Que je sois pendu si je sais pourquoi. Je crois que c'était simplement assez embrouillé comme ça...

— Merci, militaire. Qui l'a descendu?

— Lirez ça demain dans les journaux.

— Je veux le savoir maintenant.

— Est-ce que vous obtenez tout ce que vous voulez?

— Non. Est-ce que c'est une réponse, militaire?

— C'est quelqu'un dont vous n'avez jamais entendu parler qui l'a tué. Contentez-vous de ça.

— Si c'est arrangé, un jour, je pourrai peut-être vous rendre service.

— Raccrochez et laissez-moi me coucher.

Il rit de nouveau.

— Vous cherchez Rusty Regan, n'est-ce pas?

— C'est ce que semblent croire des tas de gens, mais ce n'est pas le cas.

— Si vous le cherchez, je pourrais vous donner un tuyau. Descendez et venez me voir à la plage. Quand vous voudrez. Serai content de vous voir.

— Peut-être...

— Au revoir alors.

Le téléphone cliqueta, et je me surpris à l'étreindre avec un agacement furieux. Puis je composai le numéro des Sternwood et l'entendis sonner cinq ou six fois avant que la voix suave du valet réponde.

— Ici la villa du général Sternwood.

— Ici Marlowe. Vous vous rappelez? On s'est vus il y a cent ans... peut-être hier, au fait?...

— Oui, monsieur Marlowe, je me rappelle, certainement...

— Mme Regan est là?

— Oui, je crois... Voulez-vous...

Je lui coupai la parole car j'avais changé d'avis.

— Non. Vous lui transmettrez le message. Dites-lui que j'ai les photos, et que tout va bien.

— Oui... Oui... (Sa voix me parut trembler un peu.) Vous avez les photos, toutes les photos... et tout va bien... Oui, monsieur... Si je puis me permettre... Merci beaucoup, monsieur.

Le téléphone résonna cinq minutes plus tard. J'avais fini mon verre et ça me donnait l'impression que je mangerais volontiers le dîner que j'avais complètement oublié. Je sortis en laissant sonner le téléphone. Il sonnait quand je revins. Il sonna par intervalles jusqu'à minuit et demi. A ce moment-là, j'éteignis, ouvris ma fenêtre, assourdis le timbre avec un morceau de papier et me mis au lit. J'en avais plein le dos de la famille Sternwood.

Je lus les trois journaux du matin en mangeant mes œufs au bacon le matin suivant. Leurs versions de l'affaire étaient aussi voisines de la vérité que le sont d'habitude les comptes rendus journalistiques — voisines comme Mars de Saturne. Aucune des trois n'établissait le rapport entre le suicide en voiture du chauffeur Owen Taylor sur l'appontement du Lido et le meurtre du Chalet Exotique de Laurel Canyon. Aucune d'entre elles ne mentionnait les Sternwood, Bernie Ohls, ou moi-même. Owen Taylor était « chauffeur d'une riche famille ». Au capitaine Cronjager, de la Brigade de Hollywood, revenait tout le mérite de la solution des deux assassinats dans son district, qui étaient censés avoir pour origine une dispute concernant les bénéfices d'une affaire de messagerie privée gérée par un certain Geiger dans l'arrière-boutique de la librairie de Hollywood Boulevard. Brody avait tué Geiger et Carol Lundgren l'avait vengé. Il avait avoué. Il avait de fâcheux antécédents — probablement depuis le collège. La police retenait également une certaine Agnès Lozelle, secrétaire de Geiger, à titre de témoin.

C'était un joli morceau de littérature. Ça donnait l'impression que Geiger venait d'être tué la veille, Brody une heure plus tard, et que le capitaine Cronjager avait résolu les deux problèmes le temps d'allumer une cigarette. Le suicide de Taylor figurait à la une de la deuxième partie du journal. Il y avait une photo de la conduite intérieure sur le pont de la péniche et la plaque d'immatriculation était caviardée; non loin gisait un objet recouvert d'une étoffe, près de la rambarde. Owen Taylor était neurasthénique et de santé fragile. Sa famille habitait à Dubuque et son corps y serait transporté. Il n'y aurait pas d'enquête.

CHAPITRE XX

Le capitaine Gregory, du Bureau des Disparus, posa ma carte sur sa grande table de façon que ses bords soient exactement parallèles à ceux du bureau. Il l'examina en rejetant sa tête de côté, grogna, pivota dans son fauteuil rotatif et regarda, par sa fenêtre, le dernier étage grillagé du Palais de Justice, à cinquante mètres de là. C'était un homme corpulent aux yeux fatigués et ses mouvements étaient lents et circonspects comme ceux d'un gardien de nuit. Sa voix était sans timbre, plate et indifférente.

— Flic privé, hein? dit-il sans me regarder.

De la fumée s'éleva du fourneau noirci d'une pipe de bruyère qui pendait à ses canines.

— Qu'est-ce que je peux faire pour vous?

— Je travaille pour le compte du général Sternwood, 3765 Alta Brea Crescent, West Hollywood.

Sans lâcher sa pipe, le capitaine Gregory souffla un peu de fumée du coin de sa bouche.

— A quoi?

— Pas exactement à un travail comme le vôtre. Mais le vôtre m'intéresse. J'ai pensé que vous pourriez m'aider.

— Vous aider à quoi?

— Le général Sternwood est un homme riche, dis-je. C'est un vieil ami du père du procureur du district. S'il a envie d'embaucher à la journée un type pour faire ses courses, c'est pas l'affaire de la police. C'est tout simplement un luxe qu'il peut s'offrir.

— Qu'est-ce qui vous fait croire que je serais disposé à l'aider?

Je ne répondis pas. Il pivota lentement et lourdement dans son fauteuil tournant et reposa ses grands pieds sur le linoléum nu qui recouvrait le plancher. Son bureau dégageait l'odeur de moisi due à des années de train-train quotidien. Il me regarda d'un œil vide.

— Je n'ai pas envie de vous faire perdre votre temps, capitaine, dis-je en reculant ma chaise de dix centimètres.

Il ne bougea pas, il continua à me regarder de ses yeux délavés et fatigués.

— Vous connaissez le procureur du district?

— Nous nous connaissons. J'ai travaillé pour lui une fois. Je connais assez bien Bernie Ohls, son enquêteur en chef.

Le capitaine Gregory détacha son téléphone et marmonna dedans :

— Passez-moi Ohls, du bureau du procureur du district.

Il reposa le téléphone sur son support sans le lâcher. Du temps passa. De la fumée sortait de sa pipe. Ses yeux étaient lourds et immobiles comme sa main. La sonnerie retentit et sa main gauche se tendit pour prendre ma carte.

— Ohls? ici Al Gregory, du Bureau Central. Un nommé Philip Marlowe est dans mon bureau. D'après sa carte, il est détective privé. Il veut qûe je lui donne des renseignements... Oui? Quelle tête est-ce qu'il a?... D'accord. Merci.

Il reposa le téléphone, retira sa pipe de sa bouche et tassa le tabac avec l'embout en cuivre d'un gros crayon. Ceci, soigneusement et solennellement, comme si c'était aussi important que tout ce qu'il ferait dans sa journée. Il se renversa en arrière et m'accorda un supplément d'examen.

— Qu'est-ce que vous voulez?

— Savoir à peu près où vous en êtes, si vous avez avancé.

Il rumina ma réponse.

— Regan? demanda-t-il enfin.
— Naturellement.
— Vous le connaissez?
— Je ne l'ai jamais vu. On m'a dit que c'est un bel Irlandais qui approche de la quarantaine, que c'est un ex-trafiquant d'alcool, qu'il a épousé la fille aînée du général Sternwood et que ça n'a pas collé. On m'a dit aussi qu'il a disparu depuis un mois.
— Sternwood aurait dû s'estimer heureux au lieu de faire appel à vos capacités pour fouiner dans la brousse.
— Le général s'est pris d'amitié pour lui. Ces choses-là arrivent. Le vieux bonhomme est infirme et solitaire, et Regan s'asseyait près de lui pour lui tenir compagnie.
— Qu'est-ce qui vous fait croire que vous pourriez y arriver mieux que nous?
— Rien du tout. Tout au moins en ce qui concerne la recherche de Regan. Mais il y a un côté chantage plutôt mystérieux. Je veux m'assurer que Regan n'y est pas mêlé. Ça pourrait me rendre service de savoir où il est et où il n'est pas.
— Mon vieux, je voudrais bien vous aider, mais je ne sais pas où il est. Il a tiré le rideau et puis c'est tout.
— C'est pas tellement facile de vous faire ça avec votre organisation, n'est-ce pas, capitaine?
— Oui, mais c'est possible, pendant quelque temps.
Il appuya sur un bouton de sonnette sur le côté de son bureau. Une femme d'âge moyen passa la tête par une porte latérale.
— Donnez-moi le dossier de Terence Regan, Abba.
La porte se ferma. Le capitaine Gregory et moi nous regardâmes dans un nouveau silence pesant. La porte se rouvrit et la femme déposa un dossier vert sur le bureau. Le capitaine Gregory lui fit signe de sortir, mit une paire de grosses lunettes d'écaille sur son nez aux veinules apparentes et feuilleta lentement les pièces du dossier. Je tripotai une cigarette.
— Il a fichu le camp le seize septembre. La seule importance de cette date est que c'était le jour de congé

du chauffeur et que personne n'a vu Regan prendre sa voiture. Pourtant c'était vers la fin de l'après-midi. Nous avons trouvé la voiture quatre jours après dans le garage privé d'une voie particulière de villas de luxe, près de Sunset Towers. Un employé du garage l'a signalée au bureau des voitures volées en disant que ce n'était pas une des leurs. Cet endroit s'appelle La Casa de Oro. Ça présente un certain intérêt, je vais vous dire lequel dans une minute. Nous n'avons rien pu apprendre sur la personne qui avait amené la voiture là-bas. Nous avons relevé des empreintes sur la voiture, mais elles ne correspondent à aucune de celles que nous avons. Le fait que la voiture soit dans le garage n'implique pas nécessairement une sale histoire, quoique nous avons une raison de soupçonner une sale histoire, mais ça se relie à quelque chose d'autre que je vais vous dire dans un instant.

Je suggérai :

— Ça se relie au fait que la femme d'Eddie Mars est sur la liste des disparus.

Il parut embêté.

— Oui. Nous avons épluché la liste des locataires et nous nous sommes aperçus qu'elle habite là. Partie à peu près le même jour que Regan, à deux jours près en tout cas. On a vu avec elle un type qui paraît ressembler à Regan, mais nous ne savons rien de certain. Voici ce qu'il y a de bougrement drôle, dans notre boulot de policier : une vieille femme qui regarde par sa fenêtre voit un gars en train de cavaler et elle est capable de le répéter dans une queue six mois après, mais si on présente une bonne photo à un employé d'hôtel, il ne peut rien affirmer...

— C'est justement une des qualités requises des bons employés d'hôtel, dis-je.

— Ouais. Eddie Mars et sa femme vivaient séparés mais ils étaient en bons termes, affirme Eddie. Voici quelques-unes des possibilités. D'abord, Regan portait toujours quinze mille dollars sur lui. Pas du bluff, à ce qu'on m'affirme. Pas un vrai sur le dessus et un paquet de faux. Ça fait pas mal de pèze, mais ce Regan était tout à fait le type à sortir ça devant n'importe qui pour l'épater. Et peut-être aussi qu'il s'en contrefichait. Sa femme assure qu'il n'a jamais coûté un sou au vieux Sternwood, sauf pour la chambre et l'entretien et une Packard 120 que sa femme lui a donnée. Comment ça peut-il coller avec un ex-trafiquant qui fraye avec les richards?

— Ça me dépasse, dis-je.

— Bon; voilà donc un type qui disparaît et qui a quinze mille dollars sur lui, tout le monde le sait. Ben, ça fait du pognon. Je disparaîtrais bien moi-même si j'avais quinze mille dollars, surtout que j'ai deux gosses à l'école. Aussi la première idée qui vient, c'est qu'on l'a un peu assommé pour les piquer, et qu'on y est allé un peu fort... si bien qu'on est forcé de l'emmener dans le désert et de le planquer parmi les cactus. Mais ça ne me plaît guère. Regan avait un feu et il savait s'en servir, et pas seulement avec les gueules de raie qui bossent dans l'alcool. Je sais qu'il a commandé une brigade entière en Irlande. Un type de ce genre, ça n'est pas du tout cuit pour les malfrats. Et puis le fait que sa bagnole soit dans ce garage prouve que celui qui l'a dépouillé savait qu'il avait le béguin pour la femme d'Eddie Mars, ce qui est exact, je crois, mais ce que ne pouvait pas savoir n'importe quel miteux de salle de billard.

— Vous avez une photo? demandai-je.

— De lui, pas d'elle. Ça aussi c'est marrant. Il y a un tas de côtés marrants, dans cette histoire. Tenez.

Il me tendit une épreuve glacée et je contemplai une figure d'Irlandais, plus triste que joviale et plus réservée qu'impudente. Pas une figure de dur et pas la figure d'un homme qui se laisse marcher sur les pieds. Des sourcils noirs et droits et des os solides dessous. Un front plutôt large que haut, une masse de cheveux noirs et drus, un nez mince et court, une grande bouche, un menton fermement dessiné mais petit pour la bouche. Une physionomie un peu tendue, celle d'un type rapide et d'un client sérieux. Je lui rendis la photo. Je reconnaîtrais cette tête-là si je la voyais.

Le capitaine Gregory vida sa pipe, la remplit et tassa le tabac avec son pouce; il l'alluma, souffla de la fumée et reprit la parole.

— Eh bien, il pouvait y avoir des gens qui savaient qu'il en pinçait pour la femme d'Eddie Mars. En dehors d'Eddie lui-même. Parce que le marrant, c'est que lui le savait. Ça a l'air de l'avoir laissé complètement froid. Nous avons son emploi du temps à peu près à ce moment-là. Naturellement, Eddie ne l'aurait pas descendu par jalousie. Les faits l'auraient trop visiblement désigné.

— Ça dépend s'il est très malin, dis-je. Il pouvait essayer le double bluff.

Le capitaine Gregory hocha la tête.

— S'il est assez malin pour se débrouiller avec son racket, il est trop malin pour ça. Je vois bien ce que vous voulez dire. Il fait la connerie exprès parce qu'il pense que nous ne le croyons pas capable de faire une connerie pareille. Du point de vue de la police, c'est une erreur. Parce qu'il nous aurait eus sur le dos tout le temps et ça l'aurait gêné dans son boulot. Vous pourriez croire que ce serait très malin de risquer cette connerie. Moi aussi. Mais pas les simples flics. Ils lui auraient empoisonné la vie. J'ai écarté cette solution. Si je me trompe, prouvez-le-moi et je boufferai mon sous-cul. En attendant, je laisse Eddie tranquille. La jalousie n'est pas un mobile qui lui aille. Les gros combinards ont des cerveaux d'hommes d'affaires. Ils apprennent à faire ce qui est de bonne politique et à laisser leurs sentiments personnels se démerder comme ils peuvent. J'écarte cette solution.

— Qu'est-ce que vous conservez?

— La poule et Regan lui-même. Personne d'autre. Elle était blonde à ce moment-là, elle ne doit plus l'être. Nous n'avons pas retrouvé sa voiture, ils sont donc probablement partis avec. Ils avaient une fameuse avance sur nous, quatorze jours. Sans la voiture de Regan, je crois que nous n'aurions pas eu à nous occuper de ça du tout. Sans doute, je suis habitué à ça, particulièrement dans les familles riches. Et naturellement, j'ai dû travailler en douce.

Il se renversa en arrière et se mit à tambouriner sur les bras de son fauteuil avec ses grosses pattes.

— Je ne vois rien d'autre à faire qu'attendre, dit-il. Nous avons organisé la surveillance, mais c'est trop tôt pour un résultat. Regan, à notre connaissance, avait quinze billets. La femme avait quelque chose aussi, peut-être pas mal de cailloux. Mais tôt ou tard, ils auront besoin de fric. Regan signera un chèque, un reçu, écrira une lettre. Ils sont dans une autre ville, ils portent d'autres noms, mais ils ont le même appétit. Il faudra bien qu'ils reviennent au vieux système fiscal.

— Que faisait la fille avant d'épouser Eddie Mars?

— Elle poussait la goualante.

— Vous n'avez pas de vieilles photos professionnelles?

— Non. Eddie doit en avoir mais il ne les lâchera pas. Il tient à leur ficher la paix. Je ne peux pas le forcer. Il a des amis ici, sans ça il ne serait pas ce qu'il est.

Il grogna.

— Y a-t-il quelque chose dans tout ça qui vous soit utile?

Je constatai :

— Vous ne les retrouverez jamais ni l'un ni l'autre. L'océan Pacifique est trop près.

— Ma proposition tient toujours, en ce qui concerne mon sous-cul. On les trouvera. C'est une question de temps. Ça prendra peut-être un an ou deux.

— Le général Sternwood ne vivra peut-être pas si longtemps, dis-je.

— On a fait tout ce qu'on a pu, mon vieux. S'il veut promettre une récompense et dépenser un peu de fric, on aura peut-être des résultats. La ville ne m'attribue pas des subventions de cet ordre-là.

Ses gros yeux se fixèrent et ses sourcils hérissés s'agitèrent.

— Vous croyez sérieusement qu'Eddie les a butés tous les deux?

Je rigolai.

— Non. Je plaisantais. Je suis de votre avis, capitaine, je crois que Regan a filé avec une femme qui représentait plus pour lui que l'épouse riche avec laquelle il ne s'entendait pas. D'ailleurs, elle n'est pas encore riche.

— Vous la connaissez, je suppose?

— Oui. Elle vous ferait passer un week-end épatant, mais pour tout le temps, elle doit être plutôt épuisante.

Il grogna. Je le remerciai de m'avoir accordé son temps et des renseignements et je le quittai. Une conduite intérieure grise me suivit depuis le palais de justice. Je lui donnai une chance de me rejoindre dans une rue tranquille. Elle déclina l'offre, je la semai donc et allai au boulout.

CHAPITRE XXI

J'évitai les parages de la propriété des Sternwood. Je revins à mon bureau, m'assis dans mon fauteuil tournant et m'efforçai de rattraper le temps perdu à bosser. Un vent orageux soufflait aux fenêtres et rabattait la suie du brûleur à mazout de l'hôtel voisin, qui balayait mon bureau comme de la folle avoine un terrain vague. J'envisageai d'aller déjeuner, en pensant que la vie était bien banale et qu'elle serait sans doute tout aussi banale si je buvais un coup, et que boire un coup tout seul à cette heure de la journée, de toute façon, ça ne serait pas marrant. C'est ce que je me disais quand Norris téléphona. Avec sa politesse habituelle et sa précision de langage, il me dit que le général Sternwood ne se sentait pas très bien et que d'après la lecture qu'on lui avait faite des nouvelles des journaux, il concluait que mon enquête était terminée.

— Oui, en ce qui concerne Geiger, dis-je. Ce n'est pas moi qui l'ai tué, vous savez.

— Le général ne le pensait pas, monsieur Marlowe.

— Le général est-il au courant de l'existence de ces photos qui inquiétaient Mme Regan?

— Non, monsieur. Absolument pas.

— Vous savez ce que le général m'avait donné?

— Oui, monsieur. Trois reçus et une carte, je crois.

— Exact. Je les lui envoie. Pour les photos, je suppose que le mieux est de les détruire.

— Parfait, monsieur. Mme Regan a essayé de vous joindre plusieurs fois la nuit dernière.

— J'étais dehors en train de me cuiter, dis-je.

— Oui. Absolument indispensable, monsieur, je n'en doute pas. Le général m'a chargé de vous envoyer un chèque de cinq cents dollars. Cela vous suffira-t-il?

— C'est plus que généreux, dis-je.

— Et je suppose que nous pouvons maintenant regarder l'incident comme clos?

— Fichtre oui. Comme un coffre-fort avec une serrure à combinaison cassée.

— Merci, monsieur. Sans nul doute, nous en sommes tous soulagés. Lorsque le général se sentira un peu mieux — peut-être demain — il serait heureux de vous remercier de vive voix.

— Au poil, dis-je. Je viendrai lui boire encore un peu de cognac, peut-être avec du champagne.

— Je prendrai soin d'en faire frapper à point, dit-il avec un soupçon de gaieté.

Ce fut tout. Nous nous dîmes au revoir et raccrochâmes. L'odeur du café de la boutique voisine montait par les fenêtres avec la suie mais ne réussissait pas à me donner faim. Aussi je pris ma bouteille, bus un coup et engageai mon amour-propre à se débrouiller tout seul.

Je comptai sur mes doigts. Rusty Regan avait laissé tomber un tas de galette et une jolie femme pour cavaler après une vague blonde plus ou moins mariée à une fripouille nommée Eddie Mars. Il était parti tout d'un coup, sans dire au revoir, et il pouvait avoir autant de raisons qu'on voulait. Le général avait fait preuve de trop de concision ou de trop de prudence pendant notre premier entretien pour me dire que le Bureau des Disparus s'occupait de l'affaire. Les gens du Bureau des Disparus en étaient au point mort et, de toute évidence, estimaient que ça ne valait pas la peine de s'en faire. Regan avait agi comme il l'entendait et c'était son affaire. Je tombais d'accord avec le capitaine Gregory qu'il était fort improbable qu'Eddie Mars se soit embarqué dans un double assassinat pour la simple raison qu'un autre bonhomme était parti en emmenant la blonde avec qui il ne vivait même pas. Ça l'avait peut-être embêté, mais les affaires sont les affaires, et quand on a Hollywood entre les pattes on n'a pas le temps de s'occuper des blondes qui se baladent. Si la chose s'était compliquée d'une histoire de fric, pas pareil. Mais quinze mille, ça ne faisait pas beaucoup pour Eddie Mars. Ce n'était pas un miteux comme Brody.

Geiger était mort et il faudrait que Carmen se trouve un autre beau ténébreux avec qui boire des mélanges de drogues orientales. Je me dis qu'elle n'aurait pas grand mal. Il lui suffisait de s'arrêter cinq minutes au premier coin de rue et de prendre son air timide. J'espérais que le prochain maître chanteur qui la prendrait dans ses filets serait un peu plus doux avec elle, que ça durerait un peu plus longtemps et que ça ne serait pas trop rapide.

Mme Regan connaissait suffisamment Eddie Mars pour lui emprunter de l'argent. Chose naturelle si elle jouait à la roulette et perdait pas mal. Tous les patrons de maisons de jeu prêtent de l'argent à leurs bons clients en cas de nécessité. En dehors de ça, un autre intérêt les liait en la personne de Regan. Il était son mari et il avait filé avec la femme d'Eddie Mars.

Carol Lundgren, le jeune tueur au vocabulaire limité, était hors d'état de nuire pour très longtemps, même si on ne le ficelait pas sur un fauteuil au-dessus d'un baquet d'acide. Ce qu'on ne ferait pas, parce qu'il plaiderait coupable et économiserait ainsi l'argent du comté. C'est ce qu'ils font tous quand ils n'ont pas assez de fric pour se payer un grand avocat. Agnès Lozelle était gardée sous surveillance comme témoin. Ils n'auraient pas besoin d'elle si Carol se défendait, et s'il plaidait coupable lors de l'accusation, on la relâcherait. Non seulement on n'avait rien contre elle, mais on ne tenait pas du tout à faire la lumière sur la combine de Geiger.

Restait moi-même. J'avais gardé le silence sur un meurtre et caché les preuves pendant vingt-quatre heures, mais j'étais encore en liberté avec un chèque de cinq cents dollars qui s'amenait. Le mieux était de boire un autre coup et d'oublier tout ça.

Comme c'était visiblement la seule chose intelligente à faire, j'appelai Eddie Mars et lui dis que je passerais à Las Olindas ce soir même pour lui parler. Pour être futé, j'étais futé.

J'y parvins vers neuf heures, sous une lune d'octobre qui brûlait d'un éclat dur, dans les couches supérieures d'un brouillard côtier. Le Cypress Club était tout au bout de la ville, une grande bâtisse, autrefois villégiature d'un richard nommé De Cazens, depuis transformée en hôtel. C'était maintenant un grand machin sombre, apparemment en piteux état, au milieu d'un bosquet épais de cyprès de Monterey tordus par le vent qui lui avait donné son nom. Je notai d'immenses porches en plein cintre, des tourelles dans tous les coins, des encadrements de glace autour des fenêtres géantes, des grandes étables vides par derrière, une allure générale de décrépitude nostalgique. Eddie Mars avait laissé l'extérieur à peu près en l'état au lieu d'en faire un studio de la M.G.M. Je quittai ma voiture dans une rue éclairée par des arcs crachotants et pénétrai dans le jardin par un sentier recouvert de gravier humide qui menait à la grande entrée. Un portier en paletot militaire croisé m'introduisit dans un hall immense, sombre, silencieux, d'où un escalier de chêne blanc s'élevait en une spirale majestueuse vers les ombres de l'étage supérieur. Je mis mon chapeau et mon manteau au vestiaire et attendis en écoutant la musique et la rumeur de voix qui résonnait derrière de hautes portes à deux battants. Elles semblaient venir de loin, et d'un monde un peu différent de celui où se trouvait la maison elle-même. Et puis le blond mince à la figure pâteuse qui accompagnait Eddie Mars et son lutteur chez Geiger arriva par une porte sous l'escalier, me fit un sourire sans expression et me conduisit au bureau du patron, le long d'un couloir garni de moquette.

C'était une pièce carrée dotée d'une fenêtre à l'ancienne, d'une baie profonde et d'une cheminée de pierre où brûlait paresseusement un feu de rondins de genévrier. La pièce était lambrissée de noyer et tendue de damas passé. Le plafond était très haut, très lointain. Je respirai une odeur de mer froide.

Le bureau sombre et terne d'Eddie Mars n'allait pas avec la pièce — rien de ce qui était postérieur à 1900 n'allait avec. Le tapis était hâlé, genre Floride. Il y avait un poste de radio-bar combinés dans le coin et un service à thé en porcelaine de Sèvres sur un plateau de cuivre à côté d'un samovar. Je me demandai qui pouvait les utiliser. Une porte, dans un coin, était fermée à l'aide d'une de ces serrures à combinaison qui s'ouvrent automatiquement à une heure donnée.

Eddie Mars me sourit aimablement, me serra la main et désigna la porte de la chambre forte du menton.

— Je serais une victime facile pour toutes les crapules du coin sans ce truc-là, dit-il, jovial. Les flics d'ici passent tous les matins et me regardent l'ouvrir; j'ai un arrangement avec eux.

— Vous m'avez dit que vous aviez quelque chose pour moi, dis-je. Qu'est-ce que c'est?

— Qu'est-ce qui vous presse? Prenez un verre et asseyez-vous.

— Rien ne me presse. Nous n'avons rien à nous dire sinon question boulot.

— Vous allez boire quelque chose qui vous plaira, dit-il.

Il prépara deux verres et posa le mien par terre près d'un fauteuil de cuir rouge. Il s'adossa à son bureau, debout, les jambes croisées, une main dans la poche latérale de son smoking bleu nuit, le pouce en dehors, l'ongle étincelant. En tenue de soirée, il avait l'air un peu plus coriace qu'en flanelle grise, mais il conservait son allure d'homme de cheval. Nous bûmes et nous nous fîmes un signe de tête.

— Jamais venu ici? demanda-t-il.

— Pendant la prohibition. Le jeu, ça ne me botte pas.

— Pas avec l'argent... sourit-il. Vous devriez aller voir ce soir. Une de vos amies est en train de se battre avec la roulette. Il paraît qu'elle a une drôle de veine. Vivian Regan.

Je bus mon verre et pris une cigarette qui portait son chiffre.

— J'ai plutôt aimé la façon dont vous avez manœuvré hier, dit-il. Vous m'avez fichu en rogne sur le moment; mais après, je me suis rendu compte à quel point vous aviez raison. Vous et moi nous devrions nous entendre. Qu'est-ce que je vous dois?

— Pour quoi?

— Toujours prudent, hein? J'ai mon fil spécial au bureau central... sinon je ne serais pas ici... j'ai deux tuyaux sur ce qui se passe vraiment... pas ce qu'on raconte dans les journaux.

Il me montra ses grandes dents blanches.

— Qu'est-ce que vous avez? demandai-je.

— Vous voulez parler du fric?

— Je voulais dire comme tuyaux.

— Tuyaux sur quoi?

— Vous avez la mémoire courte. Regan.

— Ah! ça...

Il agita ses ongles brillants dans la lumière tranquille d'une des lampes de bronze qui expédiait un faisceau au plafond.

— On m'a dit que vous les connaissiez déjà, ces tuyaux. Je crois que je vous dois une récompense. J'ai l'habitude de payer quand on me traite gentiment.

— Je n'ai pas fait le chemin jusqu'ici pour vous taper. On me paie pour mon boulot. Pas beaucoup selon vos tarifs mais je me débrouille. Un client à la fois, c'est une règle saine. Vous n'avez pas descendu Regan, hein?

— Non. Vous croyez que si?

— Je n'ai aucune certitude.

Il rit.

— Vous blaguez?

Je ris.

— Naturellement, que je blague. Je n'ai jamais vu

Regan, mais j'ai vu sa photo. Vous n'avez pas les types qu'il faut pour vous attaquer à lui. Et pendant que nous parlons de ça, ne m'envoyez donc pas vos tueurs à la manque avec des ordres. Je pourrais piquer une crise et en descendre un.

Il regarda le feu à travers son verre, le reposa à l'extrémité du bureau et s'essuya les lèvres à l'aide d'un mouchoir de batiste impalpable.

— Vous causez bien, fit-il. Mais j'ose dire que vous devez vous bagarrer pas mal non plus. Regan ne vous intéresse pas vraiment, hein?

— Non, pas professionnellement. On ne m'a pas chargé de ça. Mais je connais quelqu'un qui serait content de savoir où il est.

— Elle s'en fout, dit-il.

— Je parlais de son père.

Il s'essuya de nouveau les lèvres et regarda le mouchoir presque comme s'il s'attendait à y trouver du sang. Ses épais sourcils gris se rapprochèrent et frôlèrent le bord de son nez tanné.

— Geiger essayait de faire chanter le général, dis-je. Et le général ne me l'a pas avoué, mais j'ai l'impression qu'il craignait plus ou moins que Regan soit derrière cette combine.

Eddie Mars rit.

— Ah! Ah! Geiger faisait ça avec tout le monde. C'était son idée à lui. Il soutirait à des gens des reçus qui avaient l'air en règle — qui étaient en règle, je dois le dire... sauf qu'il n'aurait pas osé s'en servir pour intenter des poursuites. Il envoyait les reçus avec un mot aimable, ce qui lui ôtait ses arguments. S'il obtenait une réponse positive, c'est qu'il avait affaire à quelqu'un qui s'effrayait et il se mettait au boulot. S'il n'obtenait pas un sou, il laissait tomber le tout.

— Type malin, dis-je. Il a laissé tomber... mais il s'est cassé la gueule dessus. Comment savez-vous tout ça?

Il haussa les épaules avec impatience.

— Je donnerais beaucoup pour ignorer les trois quarts des trucs que les gens viennent me raconter.

Connaître les affaires des autres, c'est le plus mauvais placement qu'un homme de ma catégorie puisse risquer. En somme, si c'était Geiger à qui vous en aviez, vous avez liquidé l'affaire?

— C'est liquidé et j'ai encaissé.

— J'en suis désolé. Je voudrais bien que le vieux Sternwood embauche un militaire de votre acabit avec des appointements réguliers pour garder ses filles à la maison quelques nuits par semaine.

Sa bouche prit un air boudeur.

— Ce sont de vraies emmerdeuses. Regardez la brune. Elle nous casse les pieds, ici. Si elle perd, elle y va à fond et je me retrouve avec une poignée de papiers dont personne ne voudra à aucun prix. Elle n'a pas d'argent à elle, sauf une mensualité et le testament du vieux est un mystère. Si elle gagne, elle rentre chez elle avec ma galette.

— Vous la récupérerez le lendemain, dis-je.

— J'en récupère une partie. Mais au bout du compte, j'y perds.

Il me regarda d'un air très sérieux, comme si tout ça était important pour moi. Je me demandai pourquoi il croyait utile de me le dire. Je bâillai et finis mon verre.

— Je m'en vais visiter la baraque, dis-je.

— Mais oui, allez-y.

Il désigna une porte voisine de celle de la chambre forte.

— Celle-ci vous permet d'entrer derrière les tables.

— Je préfère prendre le chemin des poires.

— Parfait. A votre guise. On est copains, militaire?

— Bien sûr.

Je me levai et nous nous serrâmes la main.

— Peut-être qu'un jour, je pourrai vous rendre un vrai service, dit-il. Cette fois-ci, Gregory vous a déjà tout dit.

— Alors, vous le tenez aussi, celui-là.

— Oh! pas à ce point-là. On est seulement bons amis.

Je le regardai quelques instants et je gagnai la

porte par laquelle j'étais entré. Je me retournai après l'avoir ouverte.

— Vous ne m'avez pas fait suivre par une Plymouth grise conduite intérieure? dis-je.

Ses yeux s'agrandirent soudain. Il eut l'air secoué.

— Bon Dieu, non! Pourquoi l'aurais-je fait?

— C'est ce que je me demandais, dis-je.

Et je sortis. A mon avis, la surprise que j'avais lue dans ses yeux semblait suffisamment naturelle pour être authentique. Je crois qu'il était même un peu troublé. Il me fut impossible d'en trouver la raison.

CHAPITRE XXII

Vers dix heures et demie, le petit orchestre mexicain à foulards jaunes se lassa de jouer une rumba douce et sophistiquée que personne ne dansait. Le joueur de maracas se frotta les doigts comme s'ils lui faisaient mal et mit une cigarette à sa bouche, presque du même geste. Les quatre autres, d'un mouvement calculé et simultané, se baissèrent pour prendre sous leurs chaises des verres qu'ils burent en claquant des lèvres et en roulant leurs yeux... Du Tequila, selon leur mimique; et très probablement de l'eau minérale en réalité. Leur comédie était aussi inutile que leur musique. Personne ne les regardait.

La salle était une ancienne salle de danse et Eddie n'y avait apporté que les modifications exigées par son boulot. Pas de chromes, pas d'éclairage indirect derrière des corniches anguleuses, pas de tableaux en verre amalgamé ou de chaises en cuir éclatant et tubes d'acier poli, rien des trucs pseudo-modernes des boîtes de nuit d'Hollywood. La lumière émanait de lourds lustres de cristal et les panneaux damassés du mur étaient toujours du même rose, un peu passé et assombri par la poussière, qui s'était autrefois assorti au parquet de marqueterie, dont seule une petite portion lisse et circulaire restait libre devant l'orchestre mexicain. Le reste était recouvert d'une lourde moquette vieux rose qui devait avoir coûté chaud. Le parquet était fait d'une douzaine de bois durs, depuis le teck de Burma jusqu'à un bois rougeâtre qui ressemblait à de l'acajou, en passant par une demi-douzaine de tonalités différentes de chêne pour aboutir au compact et pâle lilas sauvage des collines de Californie, le tout dessinant des motifs complexes avec une précision mathématique.

C'était encore une pièce magnifique, et maintenant on y jouait à la roulette au lieu d'y effectuer des danses calmes et démodées. Il y avait trois tables près du mur du fond. Une rampe basse en cuivre les reliait et formait une rambarde de protection autour des croupiers. Les trois tables tournaient, mais seule celle du milieu attirait la foule. Je voyais la tête brune de Vivian Regan du bar où j'étais accoudé et où j'agitais un petit verre de bacardi sur le comptoir d'acajou.

Le barman se pencha vers moi en regardant le groupe de gens bien habillés qui se pressait à la table du milieu.

— Elle ramasse tout ce soir, dit-il. La grande poupée aux cheveux noirs.

— Qui est-ce?

— Pourrais pas vous le dire. Elle vient pourtant souvent.

— Ça me ferait mal que vous ne sachiez pas son nom.

— Mais je travaille ici, monsieur, dit-il sans aucune acrimonie. Elle est seule, en plus. Le type qui était avec elle est rétamé. Ils l'ont ramené à sa voiture.

— Je vais la reconduire chez elle, dis-je.

— Ça m'étonnerait vachement. En tout cas, bonne chance. Est-ce que je vous adoucis ce bacardi ou est-ce que vous l'aimez comme ça?

— Je l'aime comme ça, si tant est que je l'aime... dis-je.

— Moi, je servirais aussi bien du sérum antidiphtérique, dit-il.

La foule s'écarta et deux hommes en tenue de soirée se frayèrent un chemin vers le bar. J'aperçus sa nuque et ses épaules nues. Elle portait une robe très décolletée de velours vert sombre. Trop habillée pour l'endroit. La foule se rapprocha et me la dissimula en entier, sauf ses cheveux noirs. Les deux hommes traversèrent la pièce, s'accoudèrent au bar et demandèrent des whiskies à l'eau de seltz. L'un d'eux était rouge et excité. Il s'essuyait la figure avec un mouchoir bordé de noir. Les bandes satin de ses pantalons étaient larges comme des empreintes de pneus.

— Mon vieux, j'ai jamais vu une série comme ça, dit-il d'une voix tremblante. Huit fois de suite et deux abstentions à la file sur le rouge. Ça, c'est de la roulette, mon vieux, c'est de la roulette.

— Ça me donne des démangeaisons, dit l'autre. Elle mise mille dollars à chaque coup. Elle peut pas perdre.

Ils plongèrent leurs blairs dans leurs verres, les avalèrent en vitesse et s'éloignèrent.

— Ils sont si malins, ces petits-là, railla le barman. Mille dollars le coup, oui... J'ai vu un vieux cheval à La Havane, un jour...

Le bruit grandissait à la table du milieu et une voix élaborée à l'accent étranger s'éleva :

— Si vous voulez bien patienter un instant, madame. La table ne peut couvrir votre mise. M. Mars sera là dans un petit moment.

Je laissai mon bacardi et m'approchai. Le petit orchestre se mit à jouer un tango plutôt bruyant. Personne ne dansait; personne n'y pensait. Je me frayai un chemin parmi des gens en habit, en robe du soir, en costume de sport ou de ville, jusqu'à la table de gauche. La roulette s'était arrêtée. Deux croupiers se tenaient derrière, leurs têtes penchées l'une vers l'autre, l'œil en coin. L'un d'eux agitait un râteau d'avant en arrière, sans but, sur le tapis vide. Tous deux regardaient Vivian Regan.

Ses longs cils papillotaient et sa figure semblait anormalement blanche. Elle était à la table du milieu, juste en face de la roulette; une masse de billets et de jetons s'étalait en désordre devant elle. Ça avait l'air de faire beaucoup d'argent. Elle parlait au croupier d'un ton froid, insolent et coléreux.

— Qu'est-ce que c'est que cette boîte de miteux?

Je voudrais bien qu'on me le dise. Grouillez-vous de tourner cette roulette, bande de voleurs. Je veux jouer un coup de plus et je lance des enjeux normaux. Vous les ramassez très vite, hein, mais quand il faut les lâcher, vous vous mettez à pleurer...

Le croupier eut un sourire froid et poli qu'il avait déjà servi à des milliers de mufles et des millions d'idiots. Son attitude hautaine, sombre et détachée, était sans défaut. Il dit gravement :

— La table ne peut couvrir votre mise, Madame. Vous avez là plus de seize mille dollars.

— C'est votre argent, railla la jeune femme. Vous ne voulez pas le récupérer?

Un homme, à côté d'elle, essaya de dire quelque chose. Elle se détourna rapidement et lui cracha trois mots. Il disparut, très rouge, dans la foule. Une porte s'ouvrit dans le lambris, à l'extrémité de l'espace entouré par la rampe de bronze. Eddie Mars apparut, un sourire indifférent aux lèvres, les mains dans les poches de son smoking, ses deux pouces luisants dehors. Il semblait aimer cette attitude. Il passa derrière les croupiers et s'arrêta à l'angle de la table centrale. Il parla avec un calme traînant, moins poliment que le croupier :

— Quelque chose qui ne va pas, madame Regan?

Elle se tourna vers lui avec une espèce de sursaut. Je vis la courbe de sa joue se durcir comme sous l'effet d'une tension intérieure presque insupportable. Elle ne lui répondit pas.

Eddie poursuivit gravement :

— Si vous ne jouez plus, je vais vous faire raccompagner.

La jeune femme rougit. Ses pommettes restaient blanches dans sa figure. Puis elle rit, d'un rire faux. Elle répondit d'un ton amer :

— Encore un coup, Eddie. J'ai tout sur le rouge. J'aime le rouge. C'est la couleur du sang.

Eddie Mars eut un léger sourire, puis il acquiesça et fouilla dans sa poche intérieure. Il exhiba un gros portefeuille à coins d'or et le lança négligemment au croupier.

— Couvrez sa mise en billets de mille, dit-il, si personne ne voit d'inconvénient à ce que ce coup-ci soit réservé à madame.

Personne n'y vit d'inconvénient. Vivian Regan se pencha et poussa violemment des deux mains tout ce qu'elle avait gagné sur le grand losange rouge du tapis.

Le croupier s'approcha sans hâte. Il compta et empila son argent et ses jetons, déposa le tout en piles bien droites sur le rouge sauf quelques billets et quelques jetons qu'il repoussa avec son râteau. Il ouvrit le portefeuille d'Eddie Mars et en tira deux liasses minces de billets de mille dollars. Il en défit une, compta six billets, les ajouta à la liasse intacte, remit les quatre qui restaient dans le portefeuille et poussa celui-ci de côté comme une simple boîte d'allumettes. Eddie Mars n'y toucha pas. Personne ne bougeait sauf le croupier. Il lança la roulette de la main gauche et envoya la bille sur le rebord extérieur d'un mouvement de poignet désinvolte. Puis il ôta ses mains et se croisa les bras.

Les lèvres de Vivian s'écartèrent lentement et ses dents brillèrent sous la lumière comme des poignards. La bille descendit paresseusement le long de la roue et rebondit plus haut sur le chrome. Au bout d'un temps assez long, subitement elle s'immobilisa avec un cliquetis sec. La roue ralentit en entraînant la bille. Le croupier resta les bras croisés tant que la roue bougea.

— Le rouge gagne, dit-il d'un ton professionnel, parfaitement indifférent. Trois cases du zéro.

Vivian Regan rejeta sa tête en arrière et se mit à rire triomphalement.

Le croupier souleva son râteau et poussa doucement le paquet de billets de mille dollars le long du tapis, les joignit à la mise, et écarta le tout du jeu.

Eddie Mars sourit, remit son portefeuille dans sa poche, pivota sur ses talons et quitta la pièce par la porte percée dans les lambris. Une douzaine de gens reprirent leur respiration en même temps et gagnèrent le bar. Je les suivis et gagnai l'extrémité de la pièce avant que Vivian ait le temps de ramasser son gain et de s'éloigner. Je sortis dans le grand hall tranquille, repris mon manteau et mon chapeau au vestiaire, donnai à la fille un quart de dollar et gagnai le porche. Le portier apparut à mes côtés et dit :

— Je vais vous chercher votre voiture, monsieur?

Je répondis :

— Je vais juste faire un petit tour.

Les consoles de fer forgé qui soutenaient le toit du porche étaient humides de brouillard. Le brouillard dégoulinait des cyprès de Monterey qui se perdaient dans le néant vers la falaise surplombant l'océan. On voyait à peine à trois mètres, où que l'on se tourne. Je descendis les marches du porche et me mis à errer à travers les arbres en suivant un sentier à peine dessiné jusqu'à ce que j'entende le ressac qui léchait le brouillard, tout en bas de la falaise. Pas la moindre lumière nulle part. Je voyais une dizaine d'arbres à peu près distinctement, les suivants un peu moins et les autres plus du tout. Je fis un grand tour vers la gauche et revins à l'allée de gravier qui entourait les étables où l'on garait les voitures. Lorsque je distinguai la silhouette de la maison, je m'arrêtai. A quelques pas devant moi, j'avais entendu un homme tousser.

Mes pas ne faisaient aucun bruit sur le gazon humide et doux. L'homme toussa une seconde fois puis étouffa le bruit de sa toux dans un mouchoir ou dans sa manche. Pendant ce temps-là, je me rapprochai de lui. Je le distinguai, ombre vague près du chemin. Quelque chose m'incita à me tapir derrière un arbre. L'homme tourna la tête. Sa figure aurait dû faire une tache blanche à ce moment-là. Elle resta sombre. Il portait un masque. J'attendis derrière mon arbre.

CHAPITRE XXIII

Des pas légers, ceux d'une femme, s'approchèrent le long de l'allée invisible. L'homme, devant moi, s'avança et parut s'appuyer contre le brouillard. Je ne voyais pas la femme. Puis je l'entrevis confusément. Le port arrogant de sa tête me parut familier.

L'homme fonça vers elle. Les deux silhouettes se mêlèrent dans le brouillard auquel elles parurent s'incorporer. Il y eut un silence de mort.

L'homme dit :

— C'est un revolver, ma petite dame. Allons, du calme. Les bruits se perdent dans le brouillard. Donnez le sac.

La femme ne dit pas un mot. Je fis un pas en avant. D'un coup, je vis le brouillard irisé sur le bord du chapeau de l'homme. Elle restait immobile. Et puis sa respiration se mit à faire un bruit râpeux, comme une petite scie sur du bois mou.

— Si tu gueules, dit l'homme, je te coupe en deux.

Elle ne gueula pas. Elle ne bougea pas. Il fit un mouvement brusque et eut un ricanement sec.

— J'espère que tout y est, dit-il.

Un fermoir cliqueta et je l'entendis farfouiller. L'homme fit demi-tour et s'approcha de mon arbre. Au bout de trois pas, il ricana une seconde fois. Ce ricanement-là, c'était une chose dont je me souvenais. Je pris une pipe dans ma poche et la brandis comme un revolver. J'appelai doucement :

— Hé, Lanny...

L'homme s'arrêta net et sa main esquissa un geste.

— Non, je t'avais dit de ne jamais faire ça, Lanny. Je te tiens.

Rien ne bougea. La femme restait immobile dans l'allée. Lanny était figé.

— Mets le sac à tes pieds, môme, lui dis-je. Doucement, prends ton temps.

Il se baissa. Je bondis et l'affrontai avant qu'il se relève. Il se redressa contre moi en respirant fort. Ses mains étaient vides.

— Dis-moi que je ne m'en tirerai pas comme ça, fis-je.

Je me penchai et cueillis son revolver dans la poche de son pardessus.

— Il y a toujours quelqu'un pour me donner un feu, lui dis-je. J'en trimbale tant que je marche tout courbé. Casse-toi.

Nos respirations se joignirent et se mélangèrent; nos yeux étaient ceux de deux chats de gouttière sur un mur. Je reculai.

— File, Lanny. Sans rancune. Tu la boucles et je la boucle. D'ac?

— D'ac... dit-il d'une voix épaisse.

Le brouillard l'engloutit. Le léger bruit de ses pas, puis plus rien. Je ramassai le sac, le palpai et longeai l'allée. Vivian était toujours immobile : elle serrait sur sa gorge un grand manteau de fourrure, d'une main dégantée où brillait doucement une bague. Elle n'avait pas de chapeau. Ses cheveux noirs se fondaient dans l'obscurité nocturne. Ses yeux aussi.

— Beau boulot, Marlowe. Vous êtes mon garde du corps, maintenant?

Sa voix avait une résonance âpre.

— Ça y ressemble. Voilà votre sac.

Elle le prit. Je poursuivis :

— Vous avez une voiture?

Elle rit.

— Je suis venue avec un homme. Qu'est-ce que vous faites ici?

— Eddie Mars voulait me voir.

— Je ne savais pas que vous le connaissiez. Pourquoi?

— Ça n'est pas un secret. Il croyait que j'étais à la recherche de quelqu'un qu'il suppose avoir filé avec sa femme.

— C'était vrai?

— Non.

— Alors, pourquoi êtes-vous venu?

— Pour savoir pourquoi il croyait que j'étais à la recherche de quelqu'un qu'il suppose avoir filé avec sa femme.

— Vous avez trouvé pourquoi?

— Non.

— Vous lâchez vos tuyaux comme un speaker de la radio, dit-elle. Je suppose que ça ne me regarde pas... même s'il s'agit de mon mari. Je croyais que vous ne vous occupiez pas de ça.

— Les gens n'arrêtent pas de m'en parler.

Elle fit claquer sa langue d'un air embêté. L'incident de l'homme masqué semblait ne lui avoir fait aucune impression.

— Eh bien, accompagnez-moi au garage, dit-elle. Il faut que je voie mon cavalier.

Nous suivîmes l'allée et tournâmes à l'angle du bâtiment. Devant nous, j'aperçus de la lumière; après un second angle, apparut une cour de ferme clôturée éclairée par deux projecteurs. Elle avait gardé ses pavés d'origine et ses bords en pente aboutissaient à une grille centrale. Les voitures luisaient. Un homme en combinaison brune s'approcha :

— Mon copain est toujours dans le cirage? demanda Vivian négligemment.

— Je crains que oui, Miss. J'ai mis une couverture sur lui et j'ai remonté les glaces. Il va bien, je crois. Il se repose un peu.

Nous nous approchâmes d'une grosse Cadillac et l'homme en combinaison ouvrit la portière arrière. Sur la grande banquette arrière gisait, étalé et recouvert jusqu'au menton d'une couverture à carreaux, un homme qui ronflait la bouche ouverte. A vue de nez, un gros type blond qui devait pouvoir contenir des litres d'alcool.

— Je vous présente M. Larry Cobb, dit Vivian. Monsieur Cobb... Monsieur Marlowe.

Je grognai.

— M. Cobb était mon cavalier, dit-elle. Un si charmant cavalier, ce M. Cobb. Si prévenant. Vous devriez le voir à jeun. Je devrais le voir à jeun. Enfin, quelqu'un devrait le voir à jeun, simplement, pour se le rappeler. Ainsi, ce bref instant s'intégrerait à l'Histoire... très vite dépassé mais jamais oublié : le jour où Larry Cobb était à jeun...

— Ouais, dis-je.

— J'ai même envisagé de l'épouser, continua-t-elle d'une voix claire et tendue, comme si l'émotion due à l'agression subie commençait à peine à l'envahir. A des moments divers, quand je ne pouvais penser à rien d'agréable. Nous avons tous de ces nostalgies... Il a des tas d'argent, vous savez. Un yacht, une propriété à Long Island, une autre à Newport, une aux Bermudes, des propriétés éparpillées de-ci de-là, dans le monde entier, probablement... à une bouteille de Scotch l'une de l'autre. Et pour M. Cobb, une bouteille de Scotch, ça ne dure pas longtemps...

— Ouais, dis-je. Il a un chauffeur pour le ramener chez lui?

— Ne dites pas « ouais ». C'est vulgaire.

Elle me regarda, les sourcils relevés. L'homme en combinaison mâchait sa lèvre inférieure.

— Oh! il a sans nul doute une escouade de chauffeurs. Ils doivent manœuvrer tous les matins devant le garage, les boutons bien astiqués, les cuirs brillants, avec des gants immaculés... et une espèce d'élégance style Ecole d'Elèves Officiers...

— Eh bien, où diable est son chauffeur? demandai-je.

— Il conduisait lui-même, ce soir, dit l'homme en combinaison, de l'air de s'excuser. Je pourrais appeler chez lui et faire venir quelqu'un pour le ramener.

Vivian se retourna et lui sourit comme s'il venait de lui offrir une tiare de diamants.

— Ça serait formidable, dit-elle. Vous feriez ça? Vraiment, ça m'ennuierait de voir M. Cobb mourir comme ça, la bouche ouverte. Des gens pourraient croire qu'il est mort de soif.

L'homme en combinaison dit :

— Pas s'ils le reniflaient, Miss.

Elle ouvrit son sac, prit une poignée de billets et la lui fourra dans les mains.

— Vous vous occuperez de lui, bien sûr?

— Mince! dit l'homme dont les yeux faillirent jaillir de leurs orbites. Et pas qu'un peu, Miss!

— Regan, dit-elle doucement. Madame Regan. Vous me reverrez probablement. Vous n'êtes pas là depuis longtemps, n'est-ce pas?

— Non, m'dame.

Ses mains s'affolaient sur la poignée de billets.

— Le coin vous plaira énormément, dit-elle.

Elle prit mon bras.

— Rentrons dans votre voiture, Marlowe.

— Elle est dans la rue.

— C'est parfait pour moi, Marlowe. J'adore me promener dans le brouillard. On y rencontre des gens si intéressants.

— Oh! la barbe, dis-je.

Elle s'accrocha à mon bras et se mit à frissonner. Elle s'agrippa ainsi jusqu'à la voiture. Elle s'était arrêtée de trembler quand nous l'atteignîmes. Je pris une avenue courbe bordée d'arbres derrière la maison. L'avenue donnait dans le boulevard De Cazens, l'artère principale de Las Olinas. Nous passâmes sous les vieilles lampes à arc crachotantes et, au bout d'un instant, ce furent la ville, les maisons, les boutiques mortes, une station-service avec une lumière au-dessus de la sonnette de nuit et enfin un drugstore encore ouvert.

— Un verre vous fera du bien, dis-je.

Elle hocha le menton, tache pâle dans l'angle de la

voiture. Je tournai diagonalement et me rangeai nez au trottoir.

— Un peu de café noir arrosé au whisky, ça ne serait pas mal, dis-je.

— Je voudrais me saouler comme un Polonais; j'en serais ravie.

Je lui tins la porte et elle sortit en me frôlant la joue de ses cheveux. Nous entrâmes dans le drugstore. J'achetai une bouteille de whisky au rayon de l'alcool et me transportai jusqu'aux tabourets du bar pour le poser sur le comptoir de marbre craquelé.

— Deux cafés, dis-je. Noirs, forts et de cette année.

— Vous n'avez pas le droit de boire de l'alcool ici, dit l'employé.

Il portait une blouse délavée, était un peu diminué au sommet question cheveux, vous regardait d'un œil honnête et jamais son menton ne rentrerait dans un mur sans qu'il s'en aperçoive.

Vivian Regan prit dans son sac un paquet de cigarettes et en sortit deux en le secouant d'un geste masculin. Elle me les tendit.

— C'est illégal de boire de l'alcool ici, dit l'employé.

J'allumai les cigarettes et ne lui prêtai aucune attention. Il soutira deux tasses de café d'un réceptacle en nickel terni et les posa devant nous. Il regarda la bouteille de rye en bougonnant vaguement et reprit d'un ton las :

— Bon... je vais surveiller la rue pendant que vous le versez.

Il alla se poster devant la vitrine, le dos tourné vers nous, l'oreille tendue.

— Je suis terrorisé à l'idée de faire ça, dis-je... et je dévissai la capsule de la bouteille de whisky pour en couper le café. Je continuai :

— La loi est terriblement respectée, dans cette ville. Pendant toute la durée de la prohibition, la boîte d'Eddie Mars était un night-club et tous les soirs il y avait deux hommes en uniforme dans le hall pour s'assurer que les clients n'amenaient pas leur alcool au lieu d'acheter celui de la maison.

L'employé se retourna brusquement, regagna le comptoir et passa dans la petite pièce vitrée où l'on préparait les ordonnances.

Nous bûmes notre café arrosé. Je regardai la figure de Vivian dans la glace derrière le percolateur de nickel. Elle était tendue, pâle, belle et sauvage. Elle avait des lèvres rouges et méchantes.

— Vous avez des yeux d'enragée, dis-je. Comment Eddie Mars vous tient-il?

Elle me regarda dans la glace.

— Je lui en ai ratissé pas mal à la roulette... en commençant avec les cinq mille que je lui ai empruntés hier et dont je ne me suis pas servie.

— Ça a dû le rendre furieux. Vous croyez que c'est lui qui vous a envoyé sa torpille?

— Qu'est-ce qu'une torpille?

— Un type avec un pétard.

— Vous êtes une torpille?

— Bien sûr, dis-je en rigolant. Mais pour être exact, une torpille est plutôt du mauvais côté de la barricade.

— Je me demande souvent s'il y a un mauvais côté.

— Nous nous égarons. Comment Eddie Mars vous tient-il?

— Vous voulez dire qu'il a prise sur moi?

— Oui.

Ses lèvres sourirent.

— Soyez plus spirituel, Marlowe... bien plus spirituel...

— Comment va le général? Je ne prétends pas être spirituel.

— Pas très bien. Il ne s'est pas levé aujourd'hui. Vous pourriez au moins cesser de me poser des questions.

— Je me rappelle un jour où j'avais envie de vous dire la même chose. Que sait exactement le général?

— Probablement tout.

— Norris lui aurait dit?

— Non. Wilde, le procureur du district, est venu le voir. Vous avez brûlé ces photos?

— Bien sûr. Vous vous inquiétez pour votre petite sœur, hein? De temps à autre...

— Je crois que c'est la seule chose dont je m'inquiète. Pour papa aussi, d'une certaine façon, pour éviter qu'il apprenne des choses.

— Il n'a plus beaucoup d'illusions mais je suppose qu'il garde encore un certain orgueil, dis-je.

— Nous sommes la chair de sa chair. C'est ça l'empoisonnant.

Elle me regarda dans la glace de ses yeux profonds et lointains.

— Je ne veux pas qu'il meure en maudissant son propre sang. Ça a toujours été un sang un peu déchaîné, mais ça n'a pas toujours été un sang tellement moche.

— Ça l'est, maintenant?

— J'imagine que vous le pensez.

— Pas vous. Vous faites semblant...

Elle baissa les yeux. Je bus un peu de café et je nous allumai une autre cigarette.

— Donc, vous tirez sur des gens, dit-elle tranquillement. Vous êtes un tueur.

— Moi? Comment ça?

— Les journaux et la police ont bien maquillé tout ça. Mais je ne crois pas tout ce que je lis.

— Oh! vous vous figurez que pour Geiger... ou pour Brody, c'est moi?... Ou pour les deux?

Elle ne répondit pas.

— Je n'en ai pas eu besoin, dis-je. J'aurais probablement pu le faire et m'en tirer sans bobo. Mais aucun des deux n'aurait hésité à me truffer de plomb.

— Ça fait qu'au fond, vous êtes un tueur, comme tous les flics.

— Oh! la barbe!

— Un de ces types sombres et tranquilles comme la mort qui n'ont pas plus de sentiment qu'un boucher n'en éprouve pour la viande abattue. J'ai compris ça le premier jour où je vous ai vu.

— Vous connaissez assez de types louches pour savoir le contraire.

— Ce sont tous des lavettes comparés à vous.

— Merci, m'dame. Vous n'êtes pas non plus la douceur incarnée.

— Sortons de cette sale petite ville pourrie.

Je payai l'addition, mis la bouteille dans ma poche et nous sortîmes. L'employé ne m'aimait toujours pas.

Nous nous éloignâmes de Las Olinas à travers une série de petites plages humides où s'apercevaient des baraques comme des hangars, bâties sur le sable tout près de l'eau et des maisons plus grandes construites plus haut sur les remblais. Une fenêtre jaune brillait çà et là, mais la plupart des maisons étaient obscures. Une odeur de varech venait de la mer et traînait dans le brouillard. Les pneus chantaient sur le béton humide du boulevard. Le monde était un néant spongieux.

Nous approchions de Del Rey quand elle me parla; c'était la première fois depuis que nous avions quitté le drugstore. Sa voix avait une sonorité étouffée, comme si quelque chose palpitait tout au fond.

— Descendez près du casino de Del Rey, je veux regarder l'eau. C'est la première rue à gauche.

Un feu jaune clignotait au croisement. La voiture tourna et descendit une pente bordée d'un côté par un haut talus, une autoroute de l'autre, quelques lumières éparpillées au ras du sol loin derrière l'autoroute et plus loin encore, la lumière des quais et le halo dans le ciel au-dessus de la ville. Par ici le brouillard était presque dissipé. La route croisait l'autoroute à l'endroit où elle tournait pour passer sous le remblai, puis on arrivait à une bande pavée de route côtière qui bordait une plage vide et silencieuse. Des voitures étaient parquées le long du trottoir, l'avant vers la mer, obscures. Les lumières du casino brillaient à quelques centaines de mètres.

Je m'arrêtai contre le trottoir, éteignis mes phares et m'immobilisai, les mains sur le volant. Sous le brouillard qui s'effilochait, le ressac ondulait et moussait, presque sans bruit, comme une pensée qui tente de se former au bord de la conscience.

— Venez plus près, dit-elle d'une voix presque pâteuse.

Je m'éloignai du volant et me poussai au milieu de la banquette. Elle se détourna de moi comme pour regarder par la portière, puis elle se laissa aller à la renverse, sans dire un mot, dans mes bras. Sa tête faillit cogner le volant. Ses yeux étaient fermés, sa figure dans l'ombre. Et puis je vis ses yeux ouverts dont les cils battaient; leur éclat traversait l'ombre.

— Serrez-moi plus fort, brute, dit-elle.

Je l'entourai de mes bras, en douceur, d'abord. Ses cheveux étaient rêches sur ma joue. Je resserrai mon étreinte et la soulevai. J'amenai lentement son visage au contact du mien. Ses cils battaient très vite, comme des ailes de papillon.

Je l'embrassai fort et pas longtemps. Puis un baiser long et progressif. Ses lèvres s'ouvrirent sous les miennes. Son corps se mit à trembler dans mes bras.

— Tueur... dit-elle doucement; son haleine m'entrait dans la bouche.

Je la serrai contre moi et le frisson de son corps finit presque par gagner le mien. Je continuai à l'embrasser. Au bout d'un temps assez long, elle dégagea sa tête pour parler :

— Où habitez-vous?

— Hobart Arms. Sur Franklin près de Kenmore.

— Je n'y ai jamais été.

— Vous voulez?

— Oui... soupira-t-elle.

— Comment Eddie Mars vous tient-il?

Son corps se raidit dans mes bras et son souffle devint rauque. Sa tête s'écarta de la mienne et elle me scruta de ses yeux grands ouverts, cernés de blanc.

— C'était donc ça... dit-elle d'une voix basse et douce.

— C'était ça. S'embrasser, c'est bien gentil, mais votre père ne me paie pas pour coucher avec vous.

— Fumier... dit-elle d'une voix très calme, sans bouger.

Je lui ris au nez.

— Ne me prenez pas pour un glaçon, dis-je. Je ne suis ni aveugle ni impuissant. J'ai le sang aussi chaud que n'importe qui. Vous êtes facile à prendre... foutrement trop. Comment Eddie Mars vous tient-il?

— Si vous répétez ça encore une fois, je hurle.

— Allez-y, hurlez.

Elle s'écarta brusquement et se redressa, le plus loin possible de moi.

— Il y a des hommes qui se sont fait descendre pour des petites choses comme ça, Marlowe.

— Il y a des hommes qui se sont fait descendre pour pratiquement rien. Quand nous nous sommes rencontrés, je vous ai dit que j'étais détective. Enfoncez ça dans votre jolie tête, chère amie. C'est mon travail. Ce n'est pas un jeu.

Elle fouilla dans son sac, en tira un mouchoir et le mordit en détournant la tête. Le bruit de l'étoffe déchirée. Elle le lacéra avec ses dents, lentement, longuement.

— Qu'est-ce qui vous fait croire qu'il me tient? murmura-t-elle d'une voix assourdie par le mouchoir.

— Il vous laisse gagner des masses de fric et envoie un de ses tueurs vous les reprendre. Ça ne vous surprend qu'à moitié. Vous ne me dites même pas merci de vous les avoir récupérés. J'ai l'impression que tout ça n'était qu'une simple comédie. Si je n'étais pas si modeste, je dirais que la représentation était donnée au moins en partie à mon intention.

— Vous croyez qu'il peut perdre ou gagner quand il veut?

— Sûr. A mise égale, quatre fois sur cinq.

— Dois-je vous dire que je vous hais, monsieur le détective?

— Vous ne me devez rien. J'ai été payé.

Elle jeta le mouchoir lacéré par la portière.

— Vous avez des manières délicieuses avec les femmes.

— J'ai beaucoup aimé vous embrasser.

— Vous ne perdez pas du tout la tête. C'est tellement flatteur. Dois-je vous féliciter? Vous ou mon père?

— J'ai beaucoup aimé vous embrasser.

Sa voix devint un filet glacé.

— Emmenez-moi d'ici, si ça ne vous dérange pas. Je suis persuadée que je serai très bien chez moi.

— Vous ne voulez pas être une sœur pour moi?

— Si j'avais un rasoir, je vous couperais la gorge... juste pour voir ce qui sortirait.

— Du sang de chenille, dis-je.

Je démarrai, tournai et, retraversant l'autoroute, regagnai la route, la villa et West Hollywood. Elle ne dit pas mot. Elle bougea à peine tout le temps du trajet. Je passai les grilles et remontai l'allée encaissée jusqu'à la porte cochère de la grande maison. Elle ouvrit brusquement la portière et elle sortit de la voiture avant même que celle-ci soit arrêtée. Même à ce moment, elle ne dit rien. Je regardai son dos; elle avait sonné et attendait debout devant la porte. La porte s'ouvrit et Norris jeta un coup d'œil audehors. Elle l'écarta et entra rapidement. La porte claqua; je la regardai claquer.

Je redescendis l'allée et retournai chez moi.

CHAPITRE XXIV

L'entrée de l'immeuble était vide, cette fois. Pas de tueur sous le palmier en pot pour me donner des ordres. Je pris l'ascenseur jusqu'à mon étage et, au son d'une radio assourdie par une porte, longeai le couloir. J'avais besoin de boire un coup, et vite. Je n'allumai pas la lumière en entrant; je filai droit sur la cuisine et je m'arrêtai au bout d'un mètre. Quelque chose ne tournait pas rond. Quelque chose dans l'atmosphère, une odeur. Les jalousies étaient baissées et la lumière de la rue filtrait par les côtés, éclairant vaguement la pièce. Je prêtai l'oreille. L'odeur était un parfum, un parfum lourd et pourri.

Pas de bruit, pas le moindre bruit. Et puis mes yeux se firent à l'obscurité et je vis, sur le parquet, devant moi, quelque chose qui n'aurait pas dû y être. Je reculai, atteignis l'interrupteur avec mon pouce et, allumai.

Le lit était baissé. Quelque chose y gloussait. Une tête blonde sur mon oreiller. Deux bras nus relevés et les mains croisées sur la tête en question. Carmen Sternwood, étendue sur le dos, dans mon lit, m'observait en gloussant. La vague floue de ses cheveux était disposée soigneusement et pas naturellement sur l'oreiller. Ses yeux ardoise me regardaient; ils me faisaient, comme d'habitude, l'effet de m'épier derrière un canon de fusil. Elle sourit. Ses petites dents acérées luisaient.

— Je suis chou, pas vrai? dit-elle.
Je répondis brusquement :
— Chou comme un Philippin un samedi soir.
J'allai à la torchère et l'allumai, revins éteindre la lumière du plafond et, retraversant la pièce, m'approchai de l'échiquier posé sur une table de bridge sous la lampe. Il y avait un problème, préparé en six coups. Impossible de le résoudre, comme la plupart de mes problèmes. Je tendis le bras et déplaçai un cavalier, puis enlevai mon chapeau et mon manteau et les jetai quelque part. Tout ce temps-là, le gloussement continua, ce bruit qui me faisait penser à des rats derrière les lambris d'une vieille baraque.
— Je parie que vous ne devinez même pas comment je suis entrée.
Je pris une cigarette et la regardai d'un œil terne.
— Je parie que si. Vous êtes entrée par le trou de la serrure, comme Peter Pan.
— Qui c'est?
— Oh! un copain de bistrot.
Elle gloussa.
— Vous êtes chou, pas vrai? dit-elle.
— A propos, ce pouce... commençai-je.
Mais elle m'avait devancé. Je n'eus pas besoin de le lui rappeler. Elle retira sa main droite de derrière sa tête et se mit à sucer son pouce en me regardant de ses yeux très ronds et très vachards.
— Je suis toute nue, dit-elle quand je l'eus regardée en fumant cinq minutes.
— Mon Dieu! dis-je... c'est exactement ce que j'allais vous dire... je le cherchais. Encore une seconde et je disais : je parie que vous êtes toute nue. Moi, je garde toujours mes godasses au lit, au cas où je me réveillerais avec une mauvaise conscience et où je devrais m'esquiver sans bruit.
— Vous êtes chou.
Elle roula un petit peu sa tête, à la manière d'un chaton. Et puis elle ôta sa main gauche de dessous sa tête, empoigna les couvertures, s'arrêta théâtralement et les écarta. Elle était effectivement déshabillée.

Elle reposait sur le lit dans la lumière de la lampe, nue et luisante comme une perle. Les filles du père Sternwood me tiraient dessus à qui mieux mieux, ce soir-là.

Je décollai un brin de tabac de ma lèvre supérieure.

— C'est ravissant, dis-je. Mais j'ai déjà vu tout ça. Vous vous rappelez? Je suis le gars qui n'arrête pas de vous trouver déshabillée.

Elle gloussa et se recouvrit.

— Alors, comment êtes-vous entrée? dis-je.

— Le gérant me l'a permis. Je lui ai montré votre carte. Je l'ai chipée à Vivian. Je lui ai dit que vous m'aviez dit de monter et de vous attendre. J'ai été... j'ai été mystérieuse.

Elle était ravie.

— Epatant, dis-je. Les gérants sont comme ça. Maintenant que je sais comment vous êtes entrée, dites-moi comment vous allez sortir?

Elle gloussa.

— Je m'en vais pas... pas d'ici longtemps... j'aime ça, ici... vous êtes chou...

— Ecoutez, dis-je en braquant ma cigarette sur elle, ne me forcez pas à vous rhabiller une seconde fois. Je suis fatigué. J'apprécie pleinement tout ce que vous m'offrez. C'est simplement plus que je n'en puis accepter. Nichachien Reilly n'a jamais laissé tomber un copain. Je suis votre ami. Je ne veux pas vous laisser tomber, que ça vous plaise ou non. Vous et moi, nous devons rester amis, et ce n'est pas le moyen. Et maintenant, voulez-vous vous habiller comme une bonne petite fille?

Elle secoua la tête de droite à gauche.

— Ecoutez, insistai-je, vous vous fichez complètement de moi, en réalité. Vous voulez juste me montrer à quel point vous pouvez être vacharde. Mais ce n'est pas la peine, je le sais déjà. C'est moi le type qui vous ai trouvée...

— Eteignez la lampe, gloussa-t-elle.

Je jetai ma cigarette par terre et l'écrasai du pied. Je tirai de ma poche un mouchoir et m'essuyai les paumes des mains. Je revins à la charge.

— Ce n'est pas pour les voisins, dis-je. Ils s'en fichent pas mal, au fond. Les mémées à la dérive, ça ne manque pas dans les immeubles d'habitation et une de plus ne fera pas s'écrouler celui-là. Vous pigez? Dignité professionnelle. Je travaille pour votre père. Il est malade, très faible, sans recours. Il a confiance en moi, d'une certaine façon; il sait que je ne lui ferai pas d'histoires... Voulez-vous vous habiller, Carmen?

— Vous ne vous appelez pas Nichachien Reilly, dit-elle. Mais Philip Marlowe. Ne me racontez pas de blagues.

Je regardai l'échiquier. Le déplacement du cavalier était une erreur. Je le remis d'où il venait.

Je la regardai. Elle était immobile maintenant, sa figure blanche contre l'oreiller, les yeux écarquillés, noirs et vides comme des tonneaux à pluie en période de sécheresse. Une de ses petites mains sans pouce picorait sans relâche la couverture. Une vague lueur de doute commençait à s'éveiller en elle. Elle l'ignorait encore. C'est très difficile à une femme, même une jolie femme, de se rendre compte que son corps n'est pas irrésistible.

Je repris :

— Je vais dans la cuisine me préparer un verre. Vous en voulez un?

— Voui.

Deux yeux sombres et déconcertés me considérèrent; le doute grandissait en eux, s'y insinuait en rampant comme un chat qui traque un jeune merle dans l'herbe haute.

— Si vous êtes habillée quand je reviens, vous en aurez un. Ça colle?

Ses dents s'entrouvrirent et un léger bruit sifflant sortit de sa gorge. Elle ne me répondit pas. Je gagnai la cuisine, trouvai du whisky et de l'eau de seltz et en remplis deux grands verres. Je n'avais rien de très excitant à boire, ni nitroglycérine, ni haleine de tigre distillée. Elle était immobile quand je revins avec les verres. Le sifflement avait cessé. Ses yeux étaient redevenus morts. Ses lèvres ébauchèrent un sourire à mon adresse. Puis elle s'assit tout d'un coup, rejeta les couvertures et tendit la main.

— Donnez-le...

Je posai les deux verres sur la table à jouer, m'assis et allumai une autre cigarette.

— Allez-y. Je ne regarde pas.

Je détournai la tête. Et soudain, j'entendis le sifflement, bien plus fort. Ceci fit que je la regardai de nouveau. Elle était assise, nue, appuyée sur ses mains, la bouche entrouverte, le visage semblable à une tête de mort. Le sifflement sortait de sa bouche et on aurait dit qu'elle n'y était pour rien. Il y avait dans ses yeux, si vides pourtant, quelque chose que je n'avais jamais vu dans les yeux d'une femme.

Et puis ses lèvres remuèrent très lentement, avec précaution, comme des lèvres artificielles qu'on aurait dû manœuvrer avec des ressorts.

Elle me lança une ordure.

Ça m'était égal. Elle pouvait m'appeler comme elle voulait, n'importe qui pouvait. Mais ça, c'était ma chambre. Tout ce que j'avais en guise de « foyer ». Il s'y trouvait toutes mes affaires, tout ce qui touchait à ma vie, tout mon passé, tout ce qui me servait de famille. Pas grand-chose : quelques livres, quelques tableaux, la radio, l'échiquier, des vieilles lettres, des trucs comme ça. Rien. Mais, en tout cas, c'étaient mes souvenirs.

Je ne pouvais plus supporter sa présence. Son injure me l'avait rappelé.

Je commençai en détachant mes mots :

— Je vous donne trois minutes pour vous habiller et foutre le camp. Si vous n'êtes pas sortie dans trois minutes, je vous flanque dehors. De force. Dans l'état où vous êtes, à poil. Et je balance vos vêtements dans le couloir avec vous. Maintenant, allez-y...

Ses dents claquèrent. Le sifflement devint dur et bestial. Elle posa ses pieds sur le plancher et prit ses vêtements sur une chaise à côté du lit. Elle s'habilla. Je la surveillais. Elle s'habilla avec des doigts raides et maladroits — pour une femme — mais rapidement malgré ça. Elle mit à peine plus de deux minutes. J'avais chronométré.

Elle resta debout près du lit; elle serrait un sac vert contre un manteau bordé de fourrure. Elle avait un chapeau vert incroyable enfoncé sur la tête. Le sifflement dura un bon moment; j'observai son visage de tête de mort, ses yeux vides où se lisait pourtant une espèce d'émotion qui faisait songer à la jungle. Puis elle gagna rapidement la porte, l'ouvrit et sortit sans mot dire, sans se retourner. J'entendis l'ascenseur se mettre en marche et descendre dans sa cage.

Je m'approchai de la fenêtre, relevai les jalousies et l'ouvris toute grande. L'air de la nuit pénétra peu à peu avec un relent douceâtre et défraîchi qui me rappela les rues de la ville et les gaz d'échappement. Je pris mon verre et le bus lentement. La porte de l'immeuble se ferma, tout en bas. Des pas sonnèrent sur le trottoir tranquille. Une voiture démarra, pas très loin. Elle se rua dans la nuit en maltraitant sa boîte de vitesses. Je revins au lit et le regardai. L'empreinte de sa tête marquait encore l'oreiller et les draps gardaient celle de son corps mince et corrompu. Je reposai le verre et déchirai sauvagement toute la literie.

CHAPITRE XXV

Il pleuvait encore le lendemain matin, une pluie grise et oblique, tel un rideau de perles de cristal. En me levant, je me sentis fatigué, apathique, et je regardai par la fenêtre; j'avais encore un goût âcre de Sternwood dans la bouche. J'étais aussi dénué de vitalité que les poches d'un épouvantail.

Je gagnai la cuisine et bus deux tasses de café noir. La gueule de bois, ça ne s'attrape pas seulement en picolant. C'était à cause des femmes que j'avais chopé la mienne. Les femmes m'avaient rendu malade.

Je me rasai, pris une douche, m'habillai, revêtis mon imperméable, descendis et regardai par la porte de l'immeuble. De l'autre côté de la rue, trente mètres plus haut, une conduite intérieure Plymouth grise était garée. La même qui avait essayé de me prendre en chasse la veille, la même au sujet de laquelle j'avais interrogé Eddie Mars. Ça pouvait être un flic, à supposer qu'un flic ait eu assez de temps et assez envie de le perdre pour me suivre. Ça pouvait être un débutant dans le métier de détective, qui essayait de fourrer son nez dans l'affaire d'un confrère pour s'en tailler une part. C'était peut-être aussi l'évêque des Bermudes qui désapprouvait ma vie nocturne.

Je sortis, pris ma décapotable au garage et passai devant la Plymouth. Il s'y trouvait un petit homme tout seul. Il démarra derrière moi. Il se débrouillait mieux sous la pluie. Il me suivait d'assez près pour m'empêcher de prendre de l'avance et de tourner avant qu'il me rejoigne, mais il laissait le champ libre à une ou deux voitures pour qu'elles se glissent dans l'intervalle. Je descendis jusqu'au boulevard, me garai près de mon bureau et sortis avec mon col relevé et le bord de mon chapeau baissé; et la pluie glacée frappait ce qui dépassait. La Plymouth était arrêtée en face, près d'une prise d'incendie. Je gagnai le croisement, traversai au feu vert et revins en longeant le bord du trottoir et les voitures arrêtées. La Plymouth n'avait pas bougé. Personne n'en sortit. J'arrivai à son niveau et j'ouvris brusquement la porte du côté du trottoir.

Un petit homme aux yeux brillants était tassé dans un coin, derrière le volant. Je m'arrêtai et le regardai, tandis que la pluie me tapait sur le dos. Ses yeux clignaient derrière les volutes de sa cigarette. Ses mains tambourinaient sur l'étroit volant.

Je lançai :

— Tu ne peux pas te décider?

Il déglutit et la cigarette dansa entre ses lèvres.

— Je ne crois pas vous connaître, dit-il d'une petite voix mince.

— Marlowe, le type que tu essaies de suivre depuis deux jours.

— Je ne suis personne, patron.

— C'est ta bagnole, alors. Peut-être que tu ne peux pas la contrôler. Comme tu voudras. Pour le moment, je vais prendre mon petit déjeuner dans le café en face : jus d'orange, œufs au bacon, pain grillé, miel, trois ou quatre tasses de café et un cure-dent. Et puis je monterai à mon bureau, au septième étage de l'immeuble en face. Si quelque chose te tracasse, monte et casse le morceau, je m'occupe à graisser ma mitraillette.

Il battait des cils quand je m'éloignai. Vingt minutes plus tard, j'essayais de faire un courant d'air pour éliminer de mon bureau le « Soir d'Amour » de la femme de ménage, et j'ouvrais une épaisse enveloppe dont l'adresse était rédigée d'une belle écriture pointue et démodée. L'enveloppe contenait un bref billet impersonnel et un grand chèque mauve de cinq cents dollars, au nom de Philip Marlowe, signé : « Pour le général de Brisay Sternwood, Vincent Norris. » La matinée s'illumina. Je remplissais un bulletin de virement quand le timbre m'apprit que quelqu'un venait d'entrer dans ma pièce de réception de cinquante centimètres sur un mètre. C'était le petit homme à la Plymouth.

— Parfait, dis-je. Entre et enlève ton manteau.

Je lui tins la porte ouverte et il passa précautionneusement devant moi comme s'il avait peur que je ne flanque mon pied dans ses maigres fesses. Nous nous assîmes et nous dévisageâmes par-dessus le bureau. C'était un très petit homme, guère plus d'un mètre cinquante-cinq, qui devait peser à peine autant qu'un pouce de boucher. Il avait des yeux étroits et brillants qui voulaient paraître durs, et étaient à peu près aussi durs que des huîtres ouvertes. Il portait un complet croisé gris trop large pour lui, aux revers trop grands. Par-dessus le complet, ouvert, un manteau de tweed écossais aux coins un peu fatigués. Une vaste cravate de foulard jaillissait de ses revers croisés, tachée de pluie.

— Peut-être me connaissez-vous, dit-il. Je m'appelle Henry Jones.

Je répondis que je ne le connaissais pas. Je lui tendis une boîte de cigarettes. Ses petits doigts soignés en prirent une à la façon d'une truite qui se jette sur une mouche. Il l'alluma avec le briquet de bureau et agita la main.

— J'ai vécu, dit-il. Connais les gars et tout. Faisais un peu de contrebande d'alcool, en venant de Hueneme Point. Un sacré boulot, mon vieux. Dans la voiture de tête avec un pétard sous l'aisselle et sur la hanche, un paqueson de pèze à démolir un camion de cinq tonnes. Des tas de fois, il fallait arroser des flics; trois ou quatre fois avant d'arriver à Beverly Hills. Un boulot dur.

— Terrifiant, dis-je.

Il se renversa en arrière et souffla de la fumée au plafond par le petit coin serré de sa petite bouche serrée.

— Peut-être que vous ne me croyez pas? dit-il.

— Peut-être que non, dis-je. Et peut-être que oui. Et peut-être également que je m'en tape. Quel effet ça doit me faire, ce récit?

— Aucun, dit-il d'un ton mordant.

— Tu me suis depuis deux jours, dis-je. Comme un type qui suit une gonzesse sans avoir le culot de l'aborder. Peut-être que t'es agent d'assurances. Peut-être que tu connais un nommé Joe Brody. Ça fait des tas de peut-être, mais dans mon boulot, j'en ai toujours sous la main.

Ses yeux saillirent et sa lèvre inférieure faillit lui tomber sur les genoux.

— Bon Dieu! Comment savez-vous cela? glapit-il.

— Je suis médium. Allez, déballe ton sac. J'ai pas toute la vie devant moi.

L'éclat de ses yeux disparut presque derrière ses paupières soudain baissées. Il y eut un silence. La pluie frappait le toit plat et bitumé de l'entrée de Mansion House, sous mes fenêtres. Ses yeux s'ouvrirent un peu, se mirent à briller, et il parla d'un ton pensif :

— J'essayais de vous joindre, naturellement, dit-il. J'ai quelque chose à vendre, pas cher, une paire de billets de cent. Comment m'avez-vous relié à Joe?

J'ouvris une lettre et la lus. On m'offrait un cours d'empreintes digitales par correspondance de six mois à un tarif professionnel spécial. Je jetai ça dans la corbeille à papiers et relevai les yeux sur le petit homme.

— Ne t'en fais pas... c'était une simple supposition. T'es pas un flic. Tu n'es pas de la bande à Eddie Mars, je lui ai demandé hier soir. Je ne vois personne d'autre qu'un des amis de Joe Brody qui puisse s'intéresser autant à moi.

— Jésus! dit-il en se léchant la lèvre inférieure.

Sa figure était devenue d'un blanc crayeux quand j'avais mentionné le nom d'Eddie Mars. Sa bouche pendit et la cigarette resta accrochée au coin par magie pure, comme si elle avait poussé là.

— Oh! vous vous payez ma tête, dit-il enfin, avec

un de ces sourires qu'on voit dans les salles d'opérations.

— Ça va, je me paye ta tête.

J'ouvris une seconde lettre. Celle-ci voulait m'envoyer par lettre quotidienne les nouvelles de Washington, tous les renseignements confidentiels puisés directement à la source.

— Je suppose qu'Agnès est sans un, dis-je.

— Oui. C'est elle qui m'a envoyé. Vous intéresse?

— Ben... C'est une blonde.

— Oh! la barbe! Vous avez dit un truc quand vous étiez là-bas cette nuit-là... la nuit où Joe a été buté. Quelque chose comme quoi Brody devait en savoir un drôle de bout sur les Sternwood pour risquer le coup et envoyer la photo.

— Ah! Ah! Il savait donc quelque chose. Quoi?

— C'est ça qui vaut deux cents dollars.

Je remisai dans la corbeille quelques autres lettres d'admirateurs et m'allumai une nouvelle cigarette.

— Nous sommes forcés de quitter la ville, dit-il. Agnès est une chic fille. Ne lui reprochez pas cette histoire. C'est pas si facile à une femme de s'en tirer de nos jours.

— Elle est trop grande pour toi, dis-je. Elle va te rouler dessus et t'étouffer.

— Ça, mon vieux, ce n'est pas une plaisanterie très propre, dit-il avec quelque chose qui ressemblait assez à de la dignité pour que je le regarde d'un air ébahi.

Je repris :

— Tu as raison. Je n'ai pas fréquenté des types très bien, ces temps-ci. Cessons le blablabla et venons-en au fait. Qu'est-ce que tu vends pour ce prix-là?

— Vous paieriez ça?

— Si ça donne quoi?

— Si ça vous aide à trouver Rusty Regan.

— Je ne cherche pas à trouver Rusty Regan.

— Que vous dites. Voulez l'entendre ou non?

— Vas-y et dégoise. Je paierai pour ce que je prendrai. Deux billets de cent, ça représente pas mal de tuyaux, dans mon boulot.

— Eddie Mars a descendu Regan, dit-il tranquillement.

Et il se renversa en arrière comme si on venait de le nommer vice-président.

J'agitai la main dans la direction de la porte.

— J'ai même pas envie de discuter avec toi, dis-je. J'aurais peur de gâcher de l'oxygène. File, miniature.

Il se pencha sur le bureau; deux rides blanches s'étaient formées aux coins de sa bouche. Il écrasa sa cigarette avec soin, sans la regarder. De derrière une porte de communication nous parvenait un bruit de machine à écrire qui allait, monotone, de la marge à la sonnette, ligne par ligne.

— Je ne plaisante pas, dit-il.

— Barre-toi. Tu me déranges. J'ai du boulot.

— Non, vous n'en avez pas, dit-il d'un ton brutal. Ça serait trop commode. Je suis venu ici pour raconter mon machin et je vais le raconter. Je connaissais personnellement Regan. Pas très bien; assez pour lui dire : « Comment ça va, vieux? » et il me répondait ou non suivant son humeur. Un type sympa, pourtant. Il m'a toujours plu. Il avait le béguin pour une chanteuse nommée Mona Grant. Elle a changé son nom pour celui de Mars. Rusty a eu de la peine et a épousé une poule rupine qui traînait dans toutes les boîtes parce qu'elle n'avait pas sommeil quand elle pieutait chez elle. Vous la connaissez, mince, brune, assez de chien pour un gagnant du Derby, mais d'un genre à vider complètement un type. Surcompressée. Rusty ne pouvait pas s'entendre avec elle mais, bon Dieu, il s'arrangeait bien avec la galette du père, hein? C'est ce que vous croyez. Ce Regan était un drôle d'oiseau. Il voyait loin. Il voyait tout le temps à des kilomètres plus loin. On le croyait là qu'il était déjà parti. Mais je jurerais qu'il se foutait complètement de l'argent. Venant de moi, mon vieux, c'est un compliment.

Ce petit bonhomme n'était pas si bête, après tout. Un maître chanteur à la godille n'aurait pas pu avoir des idées comme ça... encore moins les exprimer.

Je demandai :

— Alors, il a foutu le camp?

— Peut-être que c'était son idée. Avec cette Mona. Elle ne vivait pas avec Eddie, elle n'aimait pas ses combines. Particulièrement les à-côtés : le chantage, les voitures maquillées, les planques pour les crapules qui venaient de l'est, etc... On dit que Regan a promis un soir à Eddie, devant tout le monde, que si jamais il mêlait Mona à une histoire louche, il lui ferait une petite visite.

— Tout ça est déjà sur fiches, Harry, dis-je. Tu ne t'attends pas à toucher du fric pour ça?

— J'en arrive à ce qui n'y est pas. Donc Regan a filé. Je le voyais tous les après-midi chez Vardi, il buvait du whisky irlandais et biglait le mur. Il ne parlait plus guère. Il me donnait un pari de temps en temps; j'étais là pour ça, pour prendre des paris pour Puss Walgreen.

— Je croyais qu'il s'occupait d'assurances?

— C'est ce que dit la plaque de sa porte. Je suppose qu'il vous vendrait une assurance si vous alliez le voir. Enfin, vers le milieu de septembre, je ne vois plus Regan. Je ne remarque pas, tout d'abord. Vous savez ce que c'est. Un type est là, vous le voyez, il n'est pas là, vous ne vous en rendez pas compte jusqu'à ce que quelque chose vous y fasse penser; voilà que j'entends un type dire en rigolant que la femme de Mars a foutu le camp avec Rusty Regan et que Mars se conduit comme s'il était le garçon d'honneur au lieu d'être le cocu. Alors je le dis à Joe Brody, et Joe Brody était futé...

— Mon œil, qu'il était futé, dis-je.

— Pas futé pour un flic, mais futé quand même. Il cherche à gagner du pèze. Il en vient à se dire que s'il peut savoir quelque chose sur les deux amoureux, il pourra en gagner des deux côtés : côté Eddie Mars et côté femme de Regan. Joe connaisssait un peu la famille.

— Pour cinq mille dollars, dis-je. Quelque temps avant, c'est ce qu'il leur avait soutiré.

— Oui?

Harry Jones parut médiocrement étonné.

— Agnès aurait dû me le dire. Ça, c'est une fille pour vous. Toujours en train de cacher quelque chose. Eh bien, Joe et moi surveillons les journaux et nous n'y voyons rien. Alors nous nous doutons que le vieux Sternwood étouffe l'affaire. Et puis un jour je vois Lash Canino chez Vardi. Le connaissez?

Je secouai la tête.

— Un gars coriace, un vrai, pas comme beaucoup qui se croient coriaces... Travaille pour Eddie Mars quand Eddie a besoin de lui... un peu de fusillade... Il tuerait un type entre deux whiskies... Quand Mars n'en a pas besoin, il reste au large. Et il n'habite pas à Los Angeles. Enfin, ça peut vouloir dire quelque chose, et ça peut ne rien vouloir dire du tout; peut-être qu'ils savent quelque chose sur Regan et que Mars est resté tranquillement assis sur son cul en rigolant et en attendant l'occasion. Ça peut aussi être quelque chose d'entièrement différent. En tout cas, je le dis à Joe et Joe file Canino. Il s'y connaît. Moi, je suis nul, je laisse tomber ce truc-là, sans facture. Et Joe file Canino jusque chez Sternwood, Canino se gare en dehors de la propriété et une bagnole remonte la colline avec une fille dedans. Ils parlent un peu et Joe a l'impression que la fille lui donne quelque chose, peut-être du fric. La fille se tire. C'est la femme de Regan. Bon, elle connaît Canino et Canino connaît Mars. Alors Joe se dit que Canino sait quelque chose sur Regan et essaye de faire un peu de pressurage annexe pour son compte. Canino se taille et Joe le perd. Fin de l'acte un.

— A quoi il ressemble, Canino?

— Petit, costaud, cheveux bruns, yeux bruns, porte toujours des complets bruns et un chapeau brun. Porte même un imper en cuir brun. Conduit un coupé brun. Tout est brun, pour M. Canino.

— A l'acte deux, dis-je.

— Sans un peu de fric, c'est fini.

— Je ne vois pas en quoi ça vaut deux cents dollars.

Mme Regan épouse un ex-bootlegger en rupture de ban. Elle doit en connaître d'autres du même genre. Elle connaît bien Eddie Mars. Si elle pensait que quelque chose soit arrivé à Regan, Eddie serait le premier type qu'elle irait trouver et Canino pourrait être l'homme qu'Eddie choisirait pour effectuer les recherches. C'est tout ce que tu as?

— Donneriez-vous deux cents dollars pour savoir où est la femme d'Eddie? demanda tranquillement le petit homme.

Cette fois, il m'intéressait pour de bon. Je faillis casser les bras de mon fauteuil en m'y appuyant.

— Même si elle était seule? ajouta Harry Jones d'une voix douce, presque sinistre. Même si elle n'était jamais partie avec Regan, et si on l'avait emmenée dans une cachette à soixante-dix kilomètres de Los Angeles — de sorte que la police continuerait à croire qu'elle est partie avec lui? Vous paieriez deux cents dollars pour ça, monsieur le flic?

Je me léchai les lèvres. Elles étaient sèches et salées.

— Je crois que oui, dis-je. Où?

— Agnès l'a retrouvée, fit-il d'un air mauvais. Un coup de veine. Elle l'a vue dehors et l'a pistée jusque chez elle. Agnès pourra vous dire où elle est, quand elle aura le fric en poche.

Je durcis mon visage.

— Tu pourrais peut-être le dire aux flics pour rien, Harry. Ils ont quelques petits costauds à Central en ce moment. Même s'ils te démolissent en essayant de te faire parler. Il leur reste Agnès.

— Qu'ils essayent, dit-il. Suis pas si fragile.

— Agnès doit avoir quelque chose que j'ai pas remarqué.

— Agnès, c'est un truand, flicard. Je suis un truand. Nous le sommes tous. Nous nous vendrions mutuellement pour dix ronds. D'accord. On va voir si vous pouvez me faire parler.

Il prit une autre de mes cigarettes, la plaça proprement entre ses lèvres et l'alluma comme je le fais moi-même, en frottant deux fois l'allumette sur son ongle, et à la fin sur son pied. Il aspira la fumée et me regarda bien en face : un drôle de petit dur que j'aurais pu flanquer à dix kilomètres d'un coup de pied dans le derrière. Un petit bonhomme dans un monde de costauds. Il y avait quelque chose en lui qui me plaisait.

— J'ai joué parfaitement franc jeu, dit-il d'un ton calme. Je vous propose le truc pour deux cents dollars. C'est toujours le prix. Je suis venu pour m'entendre dire : « je prends ou je laisse », d'homme à homme. Maintenant, vous me menacez des flics. Vous devriez avoir honte.

— Tu auras les deux cents pour ce tuyau, dis-je. Moi-même, il faut d'abord que j'aille chercher la galette.

Il se leva, acquiesça et s'enroula étroitement dans son petit manteau de tweed irlandais usé.

— Ça colle. Ce soir, ça vaudra mieux de toute façon. C'est pas malin de faire ça à des gars comme Eddie Mars. Mais il faut bien bouffer. Les recettes sont plutôt maigres en ce moment. Je crois que les grands patrons ont dit à Puss Walgreen de les mettre. Une supposition que vous veniez là-bas au bureau, Fulwider Building, Western et Santa Monica, bureau 428 sur la cour. Vous apportez le fric et je vous conduis chez Agnès.

— Vous ne pouvez pas me le dire vous-même? Je l'ai assez vue.

— Je le lui ai promis, dit-il simplement.

Il boutonna son manteau, donna à son chapeau un air conquérant, me fit un signe de tête et s'en fut à la porte. Il sortit. L'écho de ses pas mourut dans le couloir.

Je descendis à la banque et déposai mon chèque de cinq cents dollars. Je retirai deux cents dollars en liquide. Je remontai, m'assis dans mon fauteuil, ruminai l'histoire de Harry Jones. C'était trop évident. C'était l'austère simplicité de la fiction plutôt que la trame embrouillée de la réalité. Le capitaine Gregory aurait dû réussir à trouver Mona Mars si elle était si près que ça. C'est-à-dire, à supposer qu'il ait essayé.

Je pensai à tout ça la plus grande partie de la journée. Personne ne vint à mon bureau. Personne ne m'appela au téléphone. Il pleuvait toujours.

CHAPITRE XXVI

A sept heures, la pluie s'arrêta le temps de reprendre son souffle, mais les égouts débordaient encore. A Santa Monica, l'eau atteignait le niveau du trottoir et une mince pellicule en lavait le rebord. Un agent de la circulation, enveloppé de caoutchouc noir brillant de la tête aux pieds, quittait en pataugeant l'abri d'une tente détrempée. Mes talons de caoutchouc dérapèrent sur le trottoir quand je tournai dans l'entrée étroite du Fulwider Building. Une lampe unique brûlait au loin, derrière un ascenseur ouvert, autrefois doré. Un crachoir terni, et qu'on devait manquer souvent, se dressait sur un tapis de caoutchouc mâchuré. Une boîte de fausses dents pendait au mur moutarde comme une boîte de fusibles à l'entrée d'un cinéma. Je secouai mon chapeau pour en faire tomber la pluie et consultai la plaque de l'immeuble à côté de la boîte de dents. Des numéros avec noms et des numéros sans noms. Des tas d'appartements libres, ou alors des tas de locataires qui voulaient rester anonymes. Des dentistes sans douleur, des agences de détectives à la manque, des petites affaires malades qui avaient rampé jusqu'ici pour y mourir, des écoles par correspondance qui devaient vous apprendre comment devenir employé de chemin de fer, technicien-radio ou scénariste — si les inspecteurs des postes ne leur tombaient pas sur le râble. Un bâtiment moche. Un bâtiment dans lequel l'odeur des mégots de cigare devait être la plus propre de celles qu'on y respirait.

Un vieil homme était assoupi dans l'ascenseur sur une chaise disloquée, avec un coussin crevé sous les fesses. Il avait la bouche ouverte, ses tempes aux veines saillantes luisaient vaguement dans la lumière douteuse. Il portait une veste d'uniforme bleue qui lui allait à peu près comme une étable à un cheval. Des pantalons gris aux revers effrangés, des chaussettes de coton blanc et des chaussures de chevreau noir dont l'une était fendue au-dessus d'un oignon. Il dormait misérablement sur sa chaise, en attendant le client. Je le dépassai sans bruit, encouragé par l'allure clandestine de la maison, trouvai la porte de la sortie d'incendie et l'ouvris. L'escalier de secours n'avait pas été balayé depuis un mois. Des types y avaient dormi, déjeuné, y laissant des croûtes et des morceaux de vieux journaux gras, des allumettes, un carnet en imitation cuir. Dans un coin d'ombre, contre le mur décrépit, un ustensile en caoutchouc pâle était tombé sans qu'on vienne le déranger. Un très plaisant immeuble.

J'atteignis le quatrième en haletant. Le couloir comportait le même crachoir dégueulasse sur son tapis ravagé, les mêmes murs moutarde, les mêmes résidus de marée basse. Je longeai le couloir et tournai au coin. Le nom L. D. Walgreen, Assurances, se détachait sur une porte sombre vitrée de verre cathédrale, sur une seconde porte sombre et sur une troisième derrière laquelle il y avait de la lumière. Sur l'une des portes, on lisait : « Entrée ».

Une imposte vitrée s'ouvrait au-dessus de la porte éclairée. La voix aigre d'oiseau de Harry Jones résonnait :

— Canino? Oui... je vous ai vu quelque part... Bien sûr...

Je me figeai sur place. L'autre voix parla. Elle ronronnait sourdement, comme une petite dynamo derrière un mur de briques :

— Je pensais bien.

Elle avait une intonation vaguement sinistre.

Une chaise racla le linoléum, des pas résonnèrent,

l'imposte se ferma en claquant. Une ombre s'estompa derrière le verre cathédrale.

Je gagnai la première des trois portes marquées Walgreen. Je l'essayai doucement. Fermée. Elle jouait dans un chambranle trop grand, cette vieille porte ajustée des années auparavant, faite avec du bois mal séché et qui avait rétréci. Je pris mon portefeuille et en retirai le protège-permis en celluloïd dur et épais. Un outil de cambrioleur que la loi avait oublié d'interdire. Je mis mes gants, me penchai doucement et amoureusement contre la porte et l'écartai au maximum du chambranle en tirant sur le bouton. J'enfilai la plaque de celluloïd dans la large fente et tâtonnai pour trouver le biseau du pène à ressort. Il y eut un cliquetis sec comme un petit glaçon qui se brise. Je restai appuyé sans bouger, comme un poisson paresseux dans l'eau. Rien ne se produisit à l'intérieur. Je tournai le bouton et repoussai la porte dans l'ombre. Je la fermai derrière moi aussi soigneusement que je l'avais ouverte.

Le rectangle lumineux d'une fenêtre sans rideaux me faisait face, écorné par l'angle d'un bureau. Sur le bureau, une machine à écrire encapuchonnée prit forme, puis la poignée métallique d'une porte de communication. Celle-ci était ouverte. Je pénétrai dans le second des trois bureaux. La pluie tambourina soudain contre la fenêtre fermée. Je traversai la chambre. Un pinceau de lumière se dépliait en éventail à partir de la porte ouverte de deux centimètres sur le bureau éclairé. Tout ça était très commode. Avançant comme un chat sur une cheminée, j'atteignis la porte côté charnière, mis un œil contre la fente et n'aperçus qu'une surface de bois éclairée.

La voix ronronnante avait pris un ton très aimable :

— Naturellement, un type peut rester assis sur son cul et raconter tout ce qui concerne un autre type s'il sait de quoi il s'agit. Alors tu as été voir le fouineur. Ben, c'est ça ton erreur, Eddie n'aime pas ça. Le fouineur a dit à Eddie qu'un gars avec une Plymouth grise le suivait. Naturellement, Eddie veut savoir qui c'est, et pourquoi, tu piges?

Harry Jones rit légèrement.

— En quoi ça le regarde?

— Ça, ça ne te mènera à rien.

— Vous savez pourquoi j'ai été voir le fouineur? Je vous l'ai déjà dit. A cause de la fille de Brody. Faut qu'elle se tire et elle est complètement à zéro. Elle s'imagine que le fouineur peut lui filer un peu de fric. Moi, j'ai rien.

La voix ronronnante dit doucement :

— Du fric en échange de quoi? Les fouineurs ne donnent pas de fric aux crapules.

— Il pouvait en trouver. Il connaît des richards.

Harry Jones se mit à rire, d'un vaillant petit rire.

— Ne joue pas au con avec moi, petite tête.

La voix ronronnante avait pris un ton âpre; on aurait dit des grains de sable dans un roulement à billes.

— Ça va, ça va. Vous connaissez l'histoire du meurtre Brody. Cette espèce d'andouille l'a descendu, mais la nuit où c'est arrivé, Marlowe était là.

— Ça se sait, petite tête. Il l'a dit à la police.

— Ouais... voilà ce qu'il ne lui a pas dit. Brody allait mettre en vente une photo à poil de la plus jeune des Sternwood. Marlowe l'a su. Pendant qu'ils discutaient, la jeune Sternwood s'amène en personne, avec un pétard. Elle tire sur Brody. Elle le loupe et casse le carreau. Mais le fouineur ne l'a pas dit aux flics. Et Agnès non plus. Elle a pensé que ça valait le prix d'un billet de chemin de fer pour elle si elle ne le disait pas.

— Ça n'a rien à voir avec Eddie?

— Je voudrais savoir en quoi!

— Où est cette Agnès?

— Rien à faire.

— Tu vas me le dire, petite tête. Ici, ou dans la petite chambre où les gars enfoncent des clous à coups de pétard.

— C'est ma gonzesse maintenant, Canino. Pour rien au monde je ne mettrais ma gonzesse dans le bain.

Un silence. J'entendis la pluie battre les fenêtres. L'odeur de la fumée de cigarette passait par la fente de la porte. J'eus envie de tousser. Je mordis mon mouchoir.

Le ronron reprit, toujours très doux.

— D'après ce que j'ai appris, cette putain blonde était une simple employée de Geiger. J'en parlerai à Eddie. De combien t'as tapé le fouineur?

— Deux cents.

— Tu les as?

Harry Jones rit de nouveau.

— Je le vois demain, j'espère les avoir.

— Où est Agnès?

— Ecoutez...

Le silence.

— Regarde ça, petite tête...

Je ne bougeai pas. Je n'avais pas d'arme. Je n'avais pas besoin de zieuter par la fente de la porte pour me rendre compte que c'était un revolver que la voix ronronnante invitait si aimablement Harry Jones à regarder. Mais je pensais que M. Canino se contenterait de montrer son revolver. J'attendis.

— Je regarde, dit Harry Jones d'une voix serrée comme si elle avait peine à franchir ses dents. Et je ne vois rien que je n'aie déjà vu. Allez-y, tirez, vous verrez ce que ça vous rapportera.

— C'est un manteau en sapin que ça te rapportera à toi, petite tête.

Le silence.

— Où est Agnès?

Harry Jones soupira.

— Ça va, dit-il. Elle habite dans un immeuble, 28 Court Street, en haut de Bunker Hill. Appartement 301. Je dois être un lâche, après tout. Mais pourquoi est-ce que je devrais payer pour cette tordue?

— Aucune raison. T'es pas fou. Toi et moi, on va sortir et lui parler. Tout ce que je veux, c'est savoir si elle se fout de toi, petit gars. Si c'est comme tu as dit, tout est recta. Tu peux faire cracher le fouineur et aller où tu voudras. Sans rancune?

— Non, dit Harry Jones. Sans rancune, Canino.

— Ça va. Allons-y. Tu veux un verre?

La voix ronronnante était maintenant aussi fausse que les cils d'une entraîneuse et aussi visqueuse qu'une graine de melon d'eau. Le bruit d'un tiroir qui s'ouvre. Quelque chose racla du bois. Une chaise grinça. Un bruit traînant sur le plancher.

— C'est du vieux... dit la voix ronronnante.

Il y eut un bruit de déglutition.

— A tes amours, comme disent les dames.

Harry Jones répondit doucement :

— A votre succès.

J'entendis une toux brève et dure. Puis un brusque rot. Un léger choc sur le sol, comme si un verre venait de tomber. Mes doigts se crispèrent sur mon imperméable.

La voix ronronnante dit doucement :

— Tu ne vas pas être malade pour un tout petit verre, vieux?

Harry Jones ne répondit pas. J'entendis une respiration haletante pendant un bref instant, puis un épais silence se renferma sur les choses. Une chaise glissa sur le sol.

— Au revoir, petite tête, dit M. Canino.

Des pas, un claquement, la lumière mourut à mes pieds, une porte s'ouvrit et se ferma doucement. Les pas s'éloignèrent, dégagés et assurés.

J'ouvris la porte toute grande, quittai mon coin et regardai dans l'ombre vaguement teintée par la lueur terne d'une fenêtre. L'angle d'un bureau brillait faiblement. Une forme recroquevillée se dessinait dans un fauteuil derrière lui. Dans l'air qui sentait le renfermé traînait une odeur lourde et étouffante, presque un parfum. Je gagnai la porte du corridor et écoutai. J'entendis le lointain claquement de l'ascenseur.

Je trouvai l'interrupteur et la lumière s'alluma dans une coupe de verre poussiéreuse pendue au plafond par trois chaînes de cuivre. Harry Jones me regardait de l'autre côté du bureau, les yeux grands ouverts, la figure figée dans un rictus tendu, la peau bleuâtre. Sa petite tête noire se penchait sur une de ses épaules. Il était assis tout droit contre son dossier.

Une sonnette de tramway retentit à proximité et le son m'arriva étouffé par d'innombrables murs. Une demi-pinte de whisky brune était posée sur le bureau, la capsule ôtée. Le verre de Harry Jones brillait contre un pied du bureau. Le second verre avait disparu.

Je retins ma respiration et me penchai sur la bouteille. Derrière l'odeur de caramel du bourbon se dissimulait un autre parfum, assez faible, d'amandes amères. En mourant, Harry Jones avait vomi sur son manteau. C'était donc du cyanure.

Je tournai autour de lui précautionneusement et soulevai un annuaire pendu à un crochet dans l'embrasure de la fenêtre. Je le reposai, éloignai le téléphone du petit cadavre autant que je le pus et appelai les renseignements. Une voix me répondit :

— Pouvez-vous me donner le numéro de l'appartement 301, 28 Court Street?

— Un instant, s'il vous plaît.

La voix me parvenait à travers l'odeur d'amandes amères. Un silence.

— Le numéro est : Wentworth 2528. Il est dans l'annuaire à : Appartements Olendower.

Je remerciai et composai le numéro. La sonnerie retentit trois fois et on décrocha. Une radio retentit, que l'on ferma. Une grosse voix d'homme me répondit :

— Allô?

— Agnès est là?

— Pas d'Agnès ici, vieux. Quel numéro demandez-vous?

— Wentworth 2528.

— C'est le numéro, mais c'est pas la fille. C'est une honte, pas?

La voix ricana.

Je raccrochai, repris l'annuaire à la page des appartements Wentworth. Je composai le numéro du gérant. J'avais une vision trouble de M. Canino se ruant à travers la pluie vers un autre rendez-vous mortel.

— Appartements Olendower. M. Schiff à l'appareil.

— Ici Wallis, bureau de l'identification. Y a-t-il une dénommée Agnès Lozelle inscrite sur vos registres?

— Qui avez-vous dit que vous êtes?

Je me répétai :

— Donnez-moi votre numéro et je...

— Pas de comédie, dis-je brutalement. Je suis pressé. Elle est là, ou non?

— Non. Elle n'y est pas.

Sa voix était raide comme une baguette de pain.

— Y a-t-il une grande blonde aux yeux verts dans votre boxon?

— Dites donc... c'est pas un boxon...

— Oh! ça va, ça va...

Je l'engueulais d'une voix très flicarde.

— Vous voulez que je vous envoie la brigade des mœurs pour vider la baraque? Je sais ce que c'est que les maisons de rapport de Bunker Hill, mon pote. Surtout celles qui ont un numéro de téléphone par appartement.

— Hé.. ne vous fâchez pas, brigadier... je vais vous aider. Il y a une ou deux blondes, ici, naturellement. Où n'y en a-t-il pas? Mais je n'ai pas remarqué leurs yeux. La vôtre est seule?

— Seule, ou alors avec un petit type de 1 m 55, 50 kilos, des yeux noirs, costume croisé gris foncé et manteau de tweed irlandais, chapeau gris. Selon mes informations, c'est l'appartement 301, mais tout ce que j'ai ici, c'est assez vague.

— Oh! elle n'y est pas. Ce sont deux vendeurs d'autos qui habitent au 301.

— Merci, je vais passer.

— Faites ça en douceur, voulez-vous? Venez directement dans mon bureau.

— Merci beaucoup, monsieur Schiff.

Je raccrochai.

J'essuyai la sueur de ma figure. Je gagnai le coin le plus éloigné de la pièce et, debout face au mur, je tapotai ce dernier d'une main. Je me détournai lentement et regardai le petit Harry Jones qui grimaçait sur sa chaise.

— Eh bien, tu l'as eu, Harry, dis-je tout haut, d'une voix qui me parut bizarre. Tu lui as raconté une blague et tu as bu ton cyanure comme un petit gentleman. T'es mort comme un rat empoisonné, Harry... mais pour moi, tu vaux mieux qu'un rat.

Il me fallait le fouiller. Sale travail. Ses poches ne contenaient rien à propos d'Agnès, et rien dont j'aie envie. Je le prévoyais, mais il fallait que je m'en assure.

M. Canino pouvait revenir. M. Canino devait être ce genre de monsieur très sûr de lui que ça ne gênerait pas du tout de revenir sur le lieu de son crime.

J'éteignis la lumière et me disposai à ouvrir la porte. La sonnerie du téléphone retentit, discordante, près de la plinthe. J'écoutai, les mâchoires contractées douloureusement. Puis je fermai la porte, rallumai et décrochai.

— Oui?

Une voix de femme. Sa voix.

— Harry est là?

— Pas pour l'instant, Agnès.

Elle attendit un peu. Puis elle dit lentement :

— Qui est à l'appareil?

— Marlowe... le type qui signifie des emmerdements.

— Où est-il?

Brutalement :

— Je suis venu ici lui donner deux cents dollars en échange de certains renseignements. L'offre tient. J'ai l'argent. Où êtes-vous?

— Il ne vous l'a pas dit? Vous feriez mieux de le lui demander. Où est-il?

— Je ne peux pas lui demander. Vous connaissez un certain Canino?

Son sursaut me parvint aussi nettement que si je l'avais touchée.

— Vous voulez les deux cents ou non?

— Je... j'en ai salement besoin, bonhomme.

— Bon... Alors, dites-moi où les porter.

— Je... je...

Sa voix se perdit et revint, affolée.

— Où est Harry?

— Il a peur et il a filé. Donnez-moi rendez-vous quelque part. Où vous voudrez. J'ai l'argent.

— Je ne vous crois pas, pour Harry. C'est un piège.

— Oh! zut. J'aurais pu faire boucler Harry depuis longtemps. Dans quel but voulez-vous que je lui tende un piège? Canino tenait Harry, je ne sais comment, et il a filé. Je veux être tranquille, vous voulez être tranquille, Harry veut être tranquille.

Harry l'était déjà. Personne ne pouvait plus l'en empêcher.

— Vous ne vous figurez pas que je travaille pour Eddie Mars, hein, mon ange?

— N... Non! Je suppose que non. Ce n'est pas ça. Rendez-vous dans une demi-heure près de Bullocks Wilshire, l'entrée est, vers le parc à voitures.

— Parfait, dis-je.

Je reposai le téléphone sur son support. De nouveau, le parfum d'amandes amères et l'aigre odeur de vomi m'enveloppèrent. Le petit homme était assis sur sa chaise, mort, loin de toute atteinte, loin de tout changement.

Je quittai le bureau. Rien ne bougeait dans le couloir crasseux. Aucune des portes dépolies n'était éclairée. Je descendis l'escalier jusqu'au second étage et, de là, je regardai le sommet éclairé de l'ascenseur. Je pressai le bouton. Lentement, la cabine se mit en mouvement. Je redescendis l'escalier. Il était au-dessus de moi quand je sortis de l'immeuble.

Il pleuvait dur, pour changer. Je marchai; les gouttes lourdes me frappaient le visage. Lorsque l'une d'elles me toucha la langue, je sus que j'avais la bouche ouverte, et mes mâchoires douloureuses m'apprirent qu'elle l'était toute grande et qu'elle imitait le rictus de mort creusé dans le visage de Harry Jones.

CHAPITRE XXVII

— Donnez-moi l'argent.

Le moteur de la Plymouth grise palpitait et la pluie battait sur le toit. Le feu violet du sommet de la tour verte de Bullocks brillait tout là-haut, au-dessus de nous, serein et détaché de la ville noire et ruisselante. Sa main gantée de noir se tendit et j'y déposai les billets. Elle se pencha pour les compter à la faible lumière du tableau de bord. Un fermoir s'ouvrit et claqua. Elle laissa un soupir s'éteindre sur ses lèvres. Elle se pencha vers moi.

— Je m'en vais, flicard. Je me taille. C'est tout ce que j'ai pour repartir et Dieu sait que j'en ai besoin. Qu'est-il arrivé à Harry?

— Je vous ai dit qu'il a filé. Canino a appris quelque chose d'une façon ou de l'autre. Laissons Harry tranquille. J'ai payé et je veux mes tuyaux.

— Vous les aurez. Joe et moi nous roulions sur Foothill Boulevard, dimanche d'il y a deux semaines. Il était tard, et c'était la pagaïe habituelle. Nous avons dépassé un coupé brun et j'ai vu la fille qui conduisait. Il y avait un homme à côté d'elle, un type costaud et brun. La fille était blonde, je la connaissais. La femme d'Eddie Mars. Le type, c'était Canino. On n'oublie ni l'un ni l'autre quand on les a vus. Joe a filé le coupé en restant devant. Il savait faire ça très bien. Canino, le chien de garde, la sortait pour prendre l'air. A peu près à quinze cents mètres de Realito, il y a une route qui tourne vers les collines. Au sud, c'est le pays des orangers, mais au nord, c'est plat comme la cour de l'enfer et, aplatie contre les collines, il y a une usine de cyanamide où on fabrique les produits pour les fumigations.

« Au bord de la route, il y a un petit garage et une boutique de peinture pour voitures où travaille un type qui s'appelle Art Huck. Bagnoles maquillées, probablement. Il y a une baraque en bois un peu plus loin et, encore derrière, rien d'autre que les collines, le caillou nu et l'usine de cyanamide, à quatre kilomètres. C'est là qu'on la garde. Ils ont tourné à cet endroit-là. Joe a fait demi-tour et est revenu en arrière, et nous avons vu la voiture quitter la route devant la maison. Nous sommes restés là une demi-heure à surveiller les voitures qui passaient. Personne n'est revenu. Quand il a fait tout à fait noir, Joe s'est faufilé pour jeter un coup d'œil. Il a dit qu'il y avait des lumières dans la maison, une radio qui marchait et une voiture devant le coupé. Alors nous avons filé.

Elle s'arrêta et j'écoutai le sifflement humide des pneus sur Wilshire. Je suggérai :

— Ils ont pu changer de crèche depuis... Enfin, c'est ce que vous avez à vendre et ce n'est que ça. Vous êtes sûre que c'était elle?

— Quand on l'a vue une fois, on ne peut pas se tromper la seconde. Au revoir, flic, et souhaitez-moi bonne chance. J'ai fait une sale affaire.

— Mon œil, que c'est une sale affaire, dis-je.

Je traversai la rue et gagnait ma voiture.

La Plymouth grise s'ébranla, prit de la vitesse et tourna au carrefour en direction de Sunset Place. Le bruit de son moteur mourut lentement, et avec lui, la blonde Agnès disparut du tableau pour de bon, tout au moins en ce qui me concernait. Trois morts : Geiger, Brody, Harry Jones, et la bonne femme filait en bagnole sous la pluie avec mes deux cents dollars dans son sac et pas une égratignure. J'appuyai sur mon démarreur et redescendis en ville pour dîner. Je me tapai un bon dîner. Soixante kilomètres sous la pluie, c'est un bout de chemin et je voulais les faire en une heure.

Je roulai vers le nord et traversai la rivière, pénétrai dans Pasadena, traversai Pasadena et, presque immédiatement, je fus dans les orangers. La pluie battante se matérialisait en aiguilles blanches à la lueur des phares. L'essuie-glace arrivait à peine à me laisser un petit coin pour y voir. Mais même l'obscurité trempée ne pouvait dissimuler la ligne droite ininterrompue des orangers qui défilaient comme des fantômes innombrables dans la nuit.

Des voitures passaient avec un bruit crissant en lançant des vagues de boue sale. La route tourna dans une petite ville de hangars et d'usines d'emballage, dont sortaient des voies de garage. Les plantations s'éclaircirent et descendirent vers le sud, les collines noires se rapprochèrent; un vent aigre leur balayait les flancs. Puis, vagues dans l'ombre, deux lampes à vapeur de sodium jaunes brillèrent haut dans l'air : au milieu, une enseigne au néon annonçait : « Soyez les bienvenus à Realito ».

Des maisons de bois espacées s'élevaient assez loin de la grande rue, puis j'avisai un petit tas de boutiques, les lumières d'un drugstore derrière des vitres embuées, les voitures collées devant le cinéma comme des mouches, une banque, obscure, à un coin de rue, avec des gens qui, debout dans la pluie, regardaient ses fenêtres comme si c'était un spectacle intéressant. La campagne déserte se referma sur moi.

Le destin avait réglé toute l'affaire. Près de Realito, à peine deux kilomètres plus loin, la route tournait; la pluie me trompa et je m'approchai trop près du bord. Mon pneu avant droit me lâcha avec un sifflement rageur. Avant que je puisse stopper, le pneu arrière me joua le même tour. J'arrêtai la voiture cahotante, à moitié sur la route, à moitié sur l'accotement, sortis et tirai ma torche électrique. J'avais deux pneus crevés et une seule roue de rechange. La tête plate d'une pointe galvanisée me regardait; elle sortait du pneu avant. Le bord de la route en était jonché. On les avait balayées, mais pas assez loin.

J'éteignis la torche et me mis à avaler de la pluie, en regardant une lumière jaune sur une petite route de traverse. Ça avait l'air de provenir d'une lampe très haute qui appartenait peut-être à un garage géré par un nommé Art Huck; peut-être une maison de bois se trouvait-elle tout près de là. J'enfonçai mon menton dans mon col et me dirigeai vers elle, puis revins en arrière pour ôter les papiers du porte-carte de la voiture et les fourrer dans ma poche. Je me penchai un peu plus bas, sous le volant. Derrière une petite patte de cuir, juste sous ma jambe droite quand j'étais assis dans la voiture, se trouvait un compartiment secret. Il contenait deux pistolets. L'un d'eux appartenait à Lanny, le type d'Eddie Mars, l'autre était le mien. Je pris celui de Lanny. Il devait avoir plus d'entraînement que le mien. Je le fourrai la gueule en bas dans une poche intérieure et remontai le chemin de traverse. Le garage était à une centaine de mètres de la chaussée. Il présentait à la route un mur latéral nu. Je promenai rapidement la torche sur le mur. « Art Huck, réparations et peinture en voitures ». Je ricanai, puis l'image de Harry Jones surgit devant moi et je cessai de rire. Les portes du garage étaient fermées, mais des rais de lumière filtraient en dessous et à l'endroit où les deux battants se rejoignaient. Je le dépassai. La maison était là, deux fenêtres allumées, jalousies baissées. Elle s'élevait bien en retrait de la route, derrière un mince rideau d'arbres. Il y avait une voiture sur l'allée de gravier, par-devant, sombre, indistincte, mais ce devait être un coupé brun qui devait appartenir à M. Canino. Elle était là, pacifique, devant l'étroit porche de bois. Il devait lui laisser prendre la voiture pour se balader une fois de temps en temps, et rester près d'elle, sans doute avec un feu sous la main. La fille que Rusty Regan voulait épouser, qu'Eddie Mars n'avait pas pu retenir, la fille qui n'était pas partie avec Regan. Ce bon M. Canino.

Je revins au garage et cognai à la porte avec le

culot de ma torche. Il y eut un grand silence aussi pesant que le tonnerre. A l'intérieur, la lumière s'éteignit. Je me mis à grimacer et à lécher la pluie sur mes lèvres. Je braquai le faisceau au milieu des portes. J'adressai un sourire au cercle blanc. J'étais parvenu à destination.

Une voix parla à travers la porte. Une voix revêche :

— C'que vous voulez?

— Ouvrez. J'ai deux pneus crevés sur la route et une roue de rechange seulement. J'ai besoin d'aide.

— Désolé, mon pote. C'est fermé. Realito est à deux kilomètres à l'ouest. Essayez là-bas.

Ça ne me plaisait pas. Je cognai brutalement à la porte sans m'arrêter. Une autre voix se fit entendre, une voix qui ronronnait comme une petite dynamo derrière un mur. J'aimais bien cette voix-là. Elle lança :

— Un petit malin, hein? Ouvre, Art.

Un loquet grinça et la moitié de la porte s'ouvrit vers l'intérieur. Ma torche éclaira un bref instant une figure maigre. Puis un objet luisant s'abattit et me fit choir la torche des mains. Un revolver était pointé vers moi. Je me baissai pour ramasser la torche allumée sur le sol humide et la saisis.

La voix revêche ordonna :

— Eteins cette torche, vieux. C'est comme ça qu'on attrape des boutonnières.

J'éteignis la torche et me redressai. De la lumière s'alluma dans le garage et éclaira un homme mince en salopette. Il recula en s'écartant de la porte ouverte, son revolver braqué sur moi.

— Entrez et fermez la porte. On va voir ce qu'on peut faire.

J'entrai et fermai la porte derrière moi. Je regardai le type maigre, mais pas l'autre homme qui était dans l'ombre près d'un établi, immobile. L'atmosphère du garage était douce et sinistre et sentait la peinture pyroxylée chaude.

— Vous n'êtes pas cinglé! me reprocha le type

maigre. On a braqué une banque à Realito cet après-midi.

— Pardon, dis-je, me rappelant les gens qui regardaient la banque, sous la pluie. C'est pas moi. Je ne suis pas d'ici.

— Eh ben! c'est un fait, dit-il, morose. On dit que c'est deux petits salauds et qu'on les a traqués dans les collines.

— Belle nuit pour se cacher, dis-je. Je suppose qu'ils ont semé des clous. J'en ai encaissé quelques-uns. Je croyais que vous les mettiez pour avoir du boulot.

— Vous n'avez jamais reçu un coup de pied dans les fesses, non? dit brièvement le maigre.

— Jamais d'un type de votre poids.

La voix ronronnante sortit de l'ombre et dit :

— Arrête tes menaces et joue pas les durs, Art. Ce type est emmerdé. T'es un garage, non?

— Merci, dis-je en persistant à ne pas le regarder.

— Ça va, ça va, dit le type en salopette.

Il fourra son revolver dans sa veste par une fente et se mordit une phalange en me regardant en même temps d'un air de méchante humeur. L'odeur de la peinture pyroxylée était aussi écœurante que de l'éther. Dans le coin, sous une lampe, un pistolet à peinture était posé sur une aile.

Je regardai l'homme assis près de l'établi. Il était petit et costaud, avec de larges épaules. Il avait une figure impassible et des yeux froids et sombres. Il portait un imperméable de cuir brun à ceinture qui était largement taché de pluie. Son chapeau brun était incliné en casseur. Il s'appuya à l'établi et me regarda sans hâte, sans intérêt, comme s'il regardait une tranche de viande froide. Peut-être les gens lui faisaient-ils cet effet-là.

Il promena lentement ses yeux noirs de haut en bas, puis examina ses ongles un par un en les tenant contre la lumière et en les scrutant avec soin, selon les enseignements de Hollywood. Il parla, la cigarette au bec :

— Deux pneus crevés, hein? C'est vache. On avait balayé ces clous, je suppose?

— J'ai un peu dérapé dans le virage.

— N'êtes pas d'ici, vous disiez?

— Je traverse. Je vais à Los Angeles. C'est loin?

— Soixante kilomètres. Ça fait long, de ce temps-là. D'où vous venez?

— Santa Rosa.

— Pris par le plus long, hein? Tahoe et Lone Pine.

— Pas Tahoe. Reno et Carson City.

— C'est tout de même le plus long.

Un sourire flotta sur ses lèvres.

— C'est défendu? lui demandai-je.

— Quoi? Sûr que non. Je suppose que vous nous trouvez curieux. C'est à cause de ce cambriolage, là-bas. Prends un cric et va chercher ses pneus, Art.

— J'ai du boulot jusqu'au cou, grogna le maigre. J'ai un travail à faire. J'ai cette peinture. Et il pleut, t'as peut-être remarqué?

L'homme en brun dit gaiement :

— Trop humide pour bien peindre, Art. Grouille-toi.

J'intervins :

— C'est ceux de devant et de derrière, du côté droit; vous pouvez vous servir de la roue de secours pour un des deux, si vous avez du boulot.

— Prends deux crics, Art, dit l'homme brun.

— Ecoute... voulut protester Art.

L'homme brun leva les yeux, adressa à Art un regard calme et très doux, puis les baissa presque timidement. Il ne dit rien. Art chancela comme si un coup de vent violent l'avait enveloppé. Il alla dans un coin, mit un caoutchouc sur sa salopette, un suroît sur son crâne. Il saisit une clé à tube et un cric à main, et tira un cric roulant jusqu'à la porte.

Il sortit sans mot dire en laissant la porte ouverte. La pluie entra. L'homme brun alla fermer la porte, revint à l'établi et s'assit exactement à l'endroit où il était avant. J'aurais pu l'avoir à ce moment-là. Nous étions seuls. Il ignorait qui j'étais. Il me regarda gaiement, jeta sa cigarette sur le sol cimenté et l'écrasa.

— Vous boiriez sûrement un coup, dit-il. Humectons-nous l'intérieur pour nous remonter.

Il prit une bouteille sur l'établi derrière lui, la posa sur le bord et plaça deux verres à côté. Il en versa un bon coup dans chacun et m'en tendit un.

Je m'approchai d'une démarche de somnambule et le pris. Le souvenir de la pluie me glaçait encore le visage. L'odeur de peinture chaude empoisonnait l'air renfermé du garage.

— Cet Art! dit l'homme en brun. Il est comme tous les mécanos. Toujours le nez dans un boulot qu'il aurait dû faire y a une semaine. Voyage d'affaires?

Je reniflai délicatement mon verre. Odeur correcte. Je le regardai boire avant d'avaler le mien. Je m'en rinçai la bouche. Pas de cyanure. Je vidai le petit verre, le posai près de lui et m'éloignai.

— En partie, dis-je.

Je parvins jusqu'à la conduite intérieure à moitié peinte, avec le gros pistolet posé sur l'aile. La pluie cingla le toit plat. Art était dehors là-dessous, il pestait et jurait.

L'homme brun regarda la voiture.

— Il aurait suffi d'une simple couche, fit-il d'une voix désinvolte dont le whisky adoucissait encore le ronronnement. Mais le type avait du fric et le chauffeur avait besoin de fric. Connaissez la combine.

Je répliquai :

— Il n'y en a qu'une qui soit plus vieille.

J'avais les lèvres sèches. Je n'avais pas envie de parler. J'allumai une cigarette. Je voulais que mes pneus soient réparés. Les minutes se traînèrent. L'homme brun et moi, nous étions deux étrangers qui s'étaient rencontrés par hasard, et nous nous regardions par-dessus le cadavre d'un petit homme nommé Harry Jones. Mais l'homme en brun l'ignorait encore.

Des pieds pataugèrent au-dehors et la porte s'ouvrit. La lumière frappa les filets de pluie et en fit des cordes d'argent. Art fit rouler d'un air sombre deux pneus boueux, ferma la porte d'un coup de pied, laissa un des pneus tomber sur le côté. Il me regarda d'un air furax.

— Vous choisissez vos endroits pour placer un cric, grinça-t-il.

L'homme en brun rit et prit dans sa poche un rouleau de pièces de monnaie avec lequel il jongla en le faisant sauter dans la paume de sa main.

— Râle pas comme ça, dit-il sèchement. Répare ces pneus.

— Je les répare, non?

— Alors n'en fais pas un plat.

— Ouais...

Art retira son caoutchouc et son suroît et les flanqua par terre. Il sortit le bord d'un des pneus avec un démonte-pneus et le libéra d'une torsion brutale. Il ôta et répara la chambre en un rien de temps. Toujours bougonnant, il s'approcha du mur, près de moi, empoigna un tube d'air comprimé, gonfla la chambre suffisamment pour qu'elle se tienne et laissa retomber le tube sur le mur blanchi à la chaux.

J'observais le rouleau de monnaie danser dans les mains de Canino. L'impression de tension sourde m'avait quitté. Je tournai la tête et regardai le maigre mécanicien saisir la chambre raidie par l'air. Il la regarda amèrement, jeta un coup d'œil vers le grand bassin d'eau salée, dans le coin, et grogna.

L'affaire avait dû être fort bien combinée. Je ne vis rien, ni regard, ni signe qui puisse avoir une importance particulière. Le maigre tenait la chambre en l'air et l'examinait. Il se tourna à moitié, fit un grand pas preste et me l'abattit sur la tête et les épaules : un carcan de premier choix.

Il bondit derrière moi et tira dur sur le caoutchouc. Son poids me pesa sur la poitrine, me cloua les avant-bras aux flancs. Je pouvais encore remuer les mains, mais pas atteindre l'arme dans ma poche.

L'homme brun s'approcha d'un pas dansant. Sa main se crispa sur le rouleau de monnaie. Je me penchai en avant et tentai de soulever Art.

Le poing lesté de son rouleau passa entre mes

mains tendues comme une pierre à travers un nuage de poussière. Je connus le moment d'étonnement où les lumières dansent, où le monde extérieur cesse d'être au point, mais reste visible. Il me frappa une seconde fois. Je ne sentis rien. Le halo se fit plus éclatant. Il n'y avait rien qu'une très douloureuse lumière blanche. Puis l'obscurité, dans laquelle un vague objet rouge gigotait comme un bacille sous un microscope. Puis plus de clarté, plus de mouvement, le noir, le vide, un vent violent et comme la chute d'un grand arbre.

CHAPITRE XXVIII

Ça avait l'air d'être une femme. Elle était assise près d'une lampe et la douce lumière lui allait bien. Une autre lampe m'éclairait durement, de sorte que je refermai les yeux et tentai de la regarder à travers mes cils. Elle était si bien platinée que ses cheveux brillaient comme un saladier d'argent. Elle portait une robe de jersey vert à grand col blanc. Un sac brillant aux angles aigus reposait à ses pieds. Elle fumait; un verre de fluide ambré, mince et pâle, était posé à côté d'elle.

Je remuai un peu la tête, avec prudence. Ça me fit mal, mais pas plus que je ne m'y attendais. J'étais troussé comme un poulet prêt à cuire. Des menottes retenaient mes poignets derrière mon dos et une corde en partait pour s'enrouler à mes chevilles, puis courait jusqu'à l'extrémité du divan brun sur lequel j'étais étendu. La corde disparaissait derrière le divan. Je remuai un peu pour m'assurer qu'elle y était attachée.

J'interrompis ces mouvements furtifs, rouvris les yeux et dis :

— Salut!

La femme cessa de se perdre dans la contemplation de quelque pic lointain. Son petit menton ferme se détourna lentement. Ses yeux avaient le bleu des lacs de montagne. Au-dessus de nous, la pluie tombait toujours, avec un bruit lointain, comme une pluie d'un autre monde.

— Comment vous sentez-vous?

Elle avait une voix douce d'argent assortie à ses cheveux. Une note claire y tintait, semblable au son des clochettes dans une maison de poupée. Je trouvai ma comparaison idiote sitôt formulée.

— Merveilleusement, dis-je. Quelqu'un a construit un poste d'essence sur mon menton.

— Qu'est-ce que vous attendiez, monsieur Marlowe? Des orchidées? Ou du sirop de crevettes?

— Une bonne boîte en sapin, dis-je. Ne vous donnez pas la peine d'y mettre des poignées de bronze ou d'argent. Et n'éparpillez pas mes cendres sur les eaux bleues du Pacifique. Je préfère les vers. Saviez-vous que les vers sont hermaphrodites et que n'importe quel ver peut aimer n'importe quel autre ver?

— Vous êtes un peu sonné, dit-elle avec un regard grave.

— Ça vous ennuierait d'enlever cette lampe?

Elle se leva et passa derrière le divan. La lumière s'éteignit. Cette ombre était une bénédiction.

— Je ne crois pas que vous soyez si dangereux, dit-elle.

Elle était plutôt grande que petite, mais rien de la rame à haricots. Elle était mince, mais pas croûte rassie. Elle reprit sa place.

— Ainsi, vous savez mon nom.

— Vous avez très bien dormi. Ils ont eu tout le temps de vérifier vos poches. Ils ont tout essayé, sauf de vous embaumer. Donc, vous êtes détective?

— C'est tout ce qu'ils ont contre moi?

Elle ne répondit pas. La fumée filait doucement de la cigarette. Elle l'agita dans l'air. Sa main était petite et bien formée, différente de l'outil osseux de jardinage qui sert généralement de main aux femmes d'aujourd'hui.

— Quelle heure est-il? demandai-je.

Elle lança un regard en coin sur sa montre, derrière la spirale de fumée, à la limite de l'ombre.

— Dix heures dix-sept. Vous avez un rendez-vous?

— Ça ne m'étonnerait pas. C'est la maison qui est près du garage de Art Huck?

— Oui.

— Que font-ils? Ils creusent ma tombe?

— Ils étaient obligés de sortir.

— Vous voulez dire qu'ils vous ont laissée seule?

Sa tête se tourna lentement vers moi.

— Vous n'avez pas l'air très dangereux.

— Je croyais qu'ils vous gardaient prisonnière.

Ça ne parut pas la troubler. Même, ça l'amusa un peu.

— Qu'est-ce qui vous fait croire ça?

— Je sais qui vous êtes.

Ses yeux très bleus étincelèrent si brusquement que je vis presque la trace de son regard dans l'air, comme l'éclair d'une épée. Sa bouche se contracta. Mais sa voix resta la même.

— Alors, j'ai peur que vous ne soyez dans un mauvais pas. Et j'ai horreur de tuer.

— Et vous êtes la femme d'Eddie Mars? Vous devriez avoir honte.

Ça ne lui plut pas. Elle me regarda. Je souris.

— A moins que vous ne préfériez m'ôter ces bracelets, ce que je ne vous conseille pas, peut-être pourriez-vous me refiler un peu de cette boisson que vous dédaignez.

Elle m'apporta le verre. Des bulles y montaient comme de fausses espérances. Elle se pencha sur moi. Son haleine était aussi douce que les yeux d'un paon. Je bus. Elle écarta le verre de ma bouche et observa quelques gouttes qui descendaient le long de mon cou.

Elle se pencha de nouveau sur moi. Le sang se mit à bouger dans mes veines, comme un futur locataire devant une maison.

— Votre figure a l'air d'un paillet amortisseur, dit-elle.

— Tirez-en le maximum. Même jolie comme ça, elle ne durera pas.

Elle détourna brusquement la tête et écouta. Pendant un moment, sa figure pâlit. Il n'y avait que le bruit de la pluie tambourinant sur les murs. Elle retraversa la pièce et resta debout, tournée de côté vers moi en regardant le plancher.

— Pourquoi êtes-vous venu montrer votre nez ici? demanda-t-elle tranquillement. Eddie ne vous faisait aucun mal. Vous savez parfaitement que si je n'étais pas restée cachée ici, la police aurait été persuadée qu'il avait tué Rusty Regan.

— Il l'a tué, dis-je.

Elle ne bougea pas d'une ligne. Sa respiration se fit rapide et sifflante. Je regardai la pièce. Deux portes, toutes deux sur le même mur, l'une à demi ouverte. Un tapis à carreaux rouges et bruns, des rideaux, un papier de tenture orné de sapins vert clair. Les meubles semblaient provenir d'une de ces maisons qui font de la publicité sur les dossiers des sièges d'autobus, légers, mais très résistants. Elle dit doucement :

— Eddie ne lui a rien fait. Je n'ai pas vu Rusty depuis des mois. Eddie n'est pas un homme comme ça.

— Vous aviez abandonné son lit et son domicile. Vous viviez seule. Les gens de l'endroit où vous habitiez ont reconnu la photo de Regan.

— C'est un mensonge, dit-elle froidement.

J'essayai de me rappeler si le capitaine Gregory m'avait dit ça ou non. Ma tête bourdonnait trop. Je ne savais plus.

— Et ça ne vous regarde pas, ajouta-t-elle.

— Toute l'affaire me regarde. On m'a engagé pour démêler ça.

— Eddie n'est pas un homme comme ça.

— Oh! vous aimez les crapules.

— Aussi longtemps qu'il y aura des gens pour jouer, il y aura des endroits où jouer.

— Vous dites ça pour vous défendre. Quand vous êtes sorti une fois de la légalité, vous l'êtes pour longtemps. Vous croyez que ce n'est pas un joueur. Je pense que c'est un pornographe, un maître chanteur, un casseur de voitures volées, un tueur par personnes interposées, et un type qui achète les flics malhonnêtes.

Il est exactement ce qui lui plaît, quelle que soit l'étiquette accrochée au gâteau. N'essayez pas de me raconter des histoires de combinards à l'âme pure. Ça ne colle pas avec le reste.

— Ce n'est pas un tueur.

Ses narines se dilatèrent.

— Pas en personne. Il dispose de Canino. Canino a tué un type, cette nuit, un pauvre type inoffensif qui essayait de tirer quelqu'un du pétrin. Je l'ai vu le tuer, pour ainsi dire.

Elle eut un rire excédé.

— Ça va bien, grognai-je. Ne me croyez pas. Si Eddie est tellement charmant, j'aimerais bien lui parler hors de la présence de Canino. Vous savez ce que fera Canino : il me cassera toutes les dents de la bouche et me filera des coups de pied dans le ventre au moindre murmure.

Elle rejeta la tête en arrière et s'immobilisa, pensive et absente; elle réfléchissait.

— Je croyais que les cheveux platine étaient démodés, continuai-je, pour empêcher le silence de retomber et pour m'éviter de tendre l'oreille.

— C'est une perruque, idiot. Le temps que les miens repoussent.

Elle leva les bras et l'enleva. Ses cheveux étaient coupés court, comme ceux d'un garçon. Elle remit la perruque.

— Qu'est-ce qui vous a fait ça?

Elle parut surprise.

— C'est moi. Pourquoi?

— Oui. Pourquoi?

— Pour prouver à Eddie que je voulais bien faire ce qu'il me demandait — me cacher. Qu'il n'avait pas besoin de me faire garder. Que je ne le trahirais pas. Je l'aime.

— Bonne histoire, grognai-je. Et je suis avec vous dans cette chambre.

Elle examina la paume d'une de ses mains. Puis, brusquement, elle sortit de la pièce. Elle revint avec un couteau de cuisine. Elle se pencha et scia la corde.

— Canino a la clé des menottes, soupira-t-elle. Je ne peux rien faire...

Elle recula en haletant. Elle avait coupé tous les nœuds.

— Vous êtes un numéro... dit-elle. Plaisanter à tout bout de champ dans le pétrin où vous êtes...

— Puisque Eddie n'est pas un tueur.

Très vite, elle se détourna, se rassit près de la lampe et cacha sa figure dans ses mains. Je pivotai, posai mes pieds par terre et me levai. Je trébuchai, les jambes raides. Mon nerf facial gauche sautait comme une grenouille châtrée. Je fis un pas. Je pouvais marcher. J'aurais pu courir, au besoin.

— Je suppose que vous me conseillez de filer, dis-je.

Elle acquiesça sans relever la tête.

— Vous feriez mieux de filer avec moi... si la vie vous intéresse.

— Ne perdez pas de temps. Il peut revenir d'une minute à l'autre.

— Allumez-moi une cigarette.

J'étais debout près d'elle, contre ses genoux. Elle se leva avec un brusque sursaut. Nos yeux étaient très proches.

— Bonjour, Boucles d'Ange... dis-je doucement.

Elle recula et attrapa un paquet de cigarettes sur la table. Elle en libéra une et me la fourra brusquement dans la bouche. Sa main tremblait. Elle saisit un petit briquet de cuir vert et l'approcha de la cigarette. J'aspirai la fumée, les yeux dans ses yeux bleu de lac. Comme elle restait près de moi, je repris :

— Un drôle d'oiseau qui s'appelle Harry Jones m'a mené à vous. Un petit oiseau qui se perchait un peu partout dans les bars, qui ramassait des paris en guise de miettes, des tuyaux aussi... Ce petit oiseau a picoré quelque chose qui concernait Canino. De fil en aiguille, lui et ses amis ont découvert où vous étiez. Il est venu me voir pour me vendre le renseignement parce qu'il savait — comment, ça c'est une longue histoire — que je travaillais pour le général Sternwood. J'ai eu l'information, mais Canino a eu le petit oiseau. C'est un petit oiseau mort, maintenant, avec ses plumes ébouriffées, son cou cassé et une goutte de sang au bec. Canino l'a tué. Mais Eddie Mars n'aurait pas fait ça, hein, Boucles d'Ange? Il n'a jamais tué personne. Il paye seulement pour le boulot.

— Sortez, dit-elle d'une voix rauque. Sortez d'ici en vitesse.

Sa main se crispa sur le briquet vert. Ses phalanges se tendirent. Les jointures devinrent blanches comme de la neige.

— Mais Canino ignore que je suis au courant, dis-je. L'histoire du petit oiseau. Tout ce qu'il sait, c'est que je fouine un peu partout.

Alors, elle se mit à rire. D'un rire épuisant. Ça la secouait comme le vent secoue un arbre. Je crus distinguer de l'étonnement, pas exactement de la surprise, mais comme si une idée nouvelle venait de s'ajouter à des éléments déjà connus et que ça ne cadrait pas. Puis je réfléchis que mon interprétation de ce rire allait un peu trop loin.

— C'est très drôle... dit-elle, à bout de souffle. Très drôle, parce que... vous comprenez, je l'aime quand même. Les femmes.

Elle se remit à rire.

Je prêtai l'oreille, tendu, les tempes battantes. Rien que la pluie.

— Filons, dis-je. En vitesse.

Elle recula de deux pas et sa figure se durcit.

— Filez, vous! Filez! Vous pouvez marcher jusqu'à Realito. Vous pouvez y arriver... et la boucler... pendant une heure ou deux, au moins... vous me devez bien ça...

— Filons, dis-je. Tu as un revolver, Boucles d'Ange?

— Vous savez très bien que je ne pars pas. Je vous en prie, partez tout de suite...

Je m'approchai d'elle à la serrer.

— Tu veux rester ici après m'avoir délivré? Attendre que le tueur revienne pour lui dire « je suis désolée! » Un type qui tue comme on écrase une mouche. Pas question. Tu viens avec moi, Boucles d'Ange.

— Non.

— Suppose, dis-je à voix basse, que ton joli mari ait tué Regan? Ou suppose que Canino l'ait tué, sans qu'Eddie le sache? Simple supposition? Combien de temps durerais-tu après m'avoir lâché?

— Je n'ai pas peur de Canino... Je suis la femme de son chef.

— Eddie n'est qu'une pâte molle... grinçai-je. Canino le boufferait à la petite cuiller. Une pâte molle. La seule fois où une fille comme toi tombe amoureuse d'une canaille, c'est une pâte molle.

— Sortez! me cracha-t-elle presque.

— Bon.

Je me détournai et, par la porte entrouverte, parvins à une entrée obscure. Elle courut derrière moi, atteignit la porte du dehors et l'ouvrit. Elle regarda dans l'obscurité noire et prêta l'oreille. Elle me poussa en avant.

— Au revoir! dit-elle dans un souffle. Bonne chance pour tout, sauf une chose. Eddie n'a pas tué Rusty Regan. Vous le retrouverez sain et sauf dans un coin quelconque quand il aura envie qu'on le retrouve.

Je me penchai contre elle et la plaquai contre le mur. Je mis ma bouche contre son visage et lui parlai :

— Rien ne presse. Tout ça est préparé d'avance, répété dans les moindres détails, minuté à la seconde. Comme un programme de radio! Rien ne presse. Embrassez-moi, Boucles d'Ange.

Sous mes lèvres, son visage était glacé. Elle leva les mains, prit ma tête et m'embrassa violemment sur les lèvres. Sa bouche aussi était glacée.

Je sortis et la porte se ferma derrière moi, sans bruit; la pluie pénétrait sous le porche, moins froide que ses lèvres.

CHAPITRE XXIX

Le garage voisin était plongé dans l'ombre. Je traversai l'allée de gravier et un coin d'herbe détrempée. Des petits ruisseaux dégringolaient le long de la route et se perdaient dans le fossé d'en face. Je n'avais pas de chapeau. Il était tombé dans le garage, sans doute. Canino ne s'était pas préoccupé de me le rendre. Il pensait sans doute que je n'en aurais plus besoin. Je me le représentai en train de revenir dans sa voiture, en conquérant, seul, ayant laissé le maigre et boudeur Art et la conduite intérieure probablement volée dans un endroit tranquille. Elle aimait Eddie Mars et se cachait pour le protéger. Il allait la retrouver à son retour près de la lampe, tranquillement assise, avec son verre intact et moi, ligoté sur le divan. Il mettrait ses affaires dans la voiture et visiterait la maison pour vérifier qu'il n'y laissait rien de compromettant. Il lui ordonnerait d'aller l'attendre dehors. Elle n'entendrait rien. Une matraque est tout aussi efficace, de près. Il lui dirait qu'il m'avait laissé attaché et que je me dégagerais au bout d'un certain temps. Il la croyait bête à ce point-là. Gentil M. Canino.

Mon imperméable était ouvert et je ne pouvais le fermer à cause des menottes. Ses pans me claquaient sur les jambes comme les ailes d'un grand oiseau épuisé. Je parvins à la route. Des voitures passèrent dans un grand jaillissement d'eau éclairé par leurs phares. Le sifflement de leurs pneus mourut rapidement. Je retrouvai ma décapotable là où je l'avais laissée; les deux pneus étaient réparés et remontés, de sorte qu'on pouvait l'emmener si nécessaire. Ils pensaient à tout.

J'y entrai, me penchai sous le volant et fouillai derrière la patte de cuir qui cachait le compartiment. Je pris le second pistolet, le fourrai sous mon manteau et repartis. Le monde entier était étroit, fermé, noir. Un petit monde privé pour Canino et moi.

A mi-chemin ses phares me prirent presque. Il tourna brusquement en débouchant de la route et je me laissai glisser sur l'accotement dans le fossé humide. Je me recroquevillai, le nez dans l'eau. La voiture passa sans ralentir. Je levai la tête, entendis le raclement de ses pneus lorsqu'il quitta le chemin pour s'engager sur le gravier de l'allée. Le moteur mourut, les phares s'éteignirent, une portière claqua. Je n'entendis pas la porte de la maison se fermer, mais un rai de lumière perça le bouquet d'arbres, comme si on avait écarté le rideau d'une fenêtre ou comme si on allumait dans l'entrée.

Je revins à la petite place d'herbe spongieuse et me mis à patauger. La voiture était arrêtée entre moi et la maison; le revolver reposait contre mon flanc, du mieux que j'avais pu sans risquer de m'arracher le bras. La voiture était noire, vide, tiède. L'eau glougloutait gentiment dans le radiateur. Je regardai par la portière. Les clés pendaient au tableau de bord. Canino était très sûr de lui.

Je fis le tour de la voiture, allai prudemment à la fenêtre en marchant sur le gravier et prêtai l'oreille. Je n'entendis rien que le rapide bong-bong des gouttes qui frappaient les coudes de zinc au bas des tuyaux de descente.

Je continuai à écouter. Pas d'éclats de voix, tout était tranquille et paisible. Il était en train de ronronner et elle lui répondait qu'elle m'avait laissé partir et que j'avais promis de les laisser filer. Il ne le croirait pas tout comme moi. De sorte qu'il ne resterait pas longtemps. Il filerait et l'emmènerait avec lui. Il me suffisait d'attendre sa sortie.

Je passai le revolver dans ma main gauche et me

baissai pour ramasser une poignée de gravier. Je la projetai sur la jalousie de la fenêtre. C'était un effort piteux. Trois ou quatre cailloux à peine frappèrent la vitre au-dessus du store mais leur cliquetis fit le bruit d'un barrage qui crève.

Je revins en courant à la voiture et montai sur le marchepied opposé à la maison. Celle-ci s'était déjà obscurcie. C'était tout. Je m'accroupis tranquillement sur le marchepied et attendis. Rien. Canino était trop finaud.

Je me relevai et entrai à reculons dans la voiture, tâtonnai à la recherche de la clé de contact et la tournai. Je cherchai le démarreur du pied mais il devait être sur le tableau de bord. Je le trouvai enfin, le tirai et le démarreur tourna. Le moteur chaud partit tout de suite. Il ronronna doucement avec satisfaction. Je sortis de la voiture et rampai jusqu'aux roues arrière.

Maintenant, je frissonnais, mais je savais que Canino n'aimerait pas du tout ce dernier effet. Il avait réellement besoin de sa voiture. Un châssis de fenêtre obscure s'abaissa centimètre par centimètre. Seul, un vague reflet sur la vitre montra qu'il bougeait. Des flammes jaillirent soudain, puis le rapide grondement de trois coups de feu serrés. Les glaces du coupé s'étoilèrent. Je poussai un hurlement plaintif. Le grognement devint un gargouillement humide, étouffé par le sang. Je le laissai mourir, sur un hoquet brusque. C'était du beau travail. Je fus content. Ça plut beaucoup à Canino. Je l'entendis rire. Un grand rire tonitruant, pas du tout assorti au ronron de sa voix.

Puis le silence... sauf la pluie, et le moteur qui palpitait doucement. La porte de la maison s'ouvrit peu à peu, ombre plus noire dans la nuit obscure. Une silhouette se dessina, prudente, quelque chose de blanc autour du cou. C'était elle, sans col. Elle sortit, rigide, tel un mannequin de bois. J'entrevis le reflet pâle de sa perruque d'argent. Canino s'avançait, caché derrière elle. Si lentement que c'était presque drôle.

Elle descendit les marches. Je voyais la blancheur

tendue de son visage. Elle se dirigeait vers la voiture. Un paravent pour Canino au cas où je pourrais encore lui cracher dans l'œil. Elle parla dans la pluie, d'une voix lente et sans timbre.

— Je ne vois rien, Lash. Il y a de la buée sur les vitres.

Il grogna quelques mots et le corps de la jeune femme sursauta, comme s'il lui avait enfoncé son revolver dans les côtes. Elle se rapprocha de la voiture obscure. Je le voyais, derrière elle; son chapeau, un côté de sa figure, la bosse de son épaule. La fille s'arrêta net et hurla. Un beau hurlement déchirant et perçant qui me fit sauter comme un crochet du gauche.

— Je le vois! hurla-t-elle. Par la glace... derrière le volant, Lash!

Il tomba dans le panneau comme une fleur. Il la bouscula et bondit en avant en levant la main. Trois nouveaux jets de flamme crevèrent l'ombre. Du verre cliqueta. Une balle traversa et claqua sur un arbre à côté de moi. Une autre ricocha en sifflant dans l'air. Mais le moteur continuait tranquillement à tourner.

Il s'était plié en deux et se détachait vaguement dans l'obscurité vague, sa figure était une tache grise informe qui semblait surgir lentement de l'ombre après la lueur des coups de feu. S'il avait un revolver à barillet, il devait être vide. Peut-être que non. Il avait tiré six coups, mais pouvait l'avoir rechargé dans la maison. Je souhaitai que oui. Je n'avais pas envie que son revolver soit vide. C'était peut-être un automatique.

Je lui lançai :

— Terminé?

Il se rua vers moi en se retournant. Peut-être eût-il été aimable de lui accorder un ou deux coups de plus, comme un gentilhomme de la vieille école. Mais il levait son arme et je n'avais plus le temps d'attendre. Pas suffisamment pour être un gentilhomme de la vieille école. Je tirai quatre fois, le Colt me cogna dans les côtes. L'arme lui sauta de la main, comme sous l'effet d'un coup de pied. Il s'empoigna le ventre à deux mains. J'entendis le claquement que ça fit.

Il tomba comme ça, en avant, en se tenant le ventre avec ses deux grandes mains. Il tomba, face contre terre, sur le gravier mouillé. Ce fut le dernier son qu'il produisit.

Boucles d'Ange ne dit rien non plus. Elle se tenait toute droite, balayée par la pluie. Je tournai autour de Canino et envoyai un coup de botte dans son arme sans savoir pourquoi. Puis j'allai la rechercher, la ramassai en me penchant. Ça m'amena tout près d'elle. Elle dit d'une voix rêveuse, comme si elle se parlait à elle-même.

— Je... J'avais peur que vous ne reveniez...

Je répondis :

— Nous avions rendez-vous, je vous ai dit que tout était arrangé d'avance.

Je me mis à rire comme un imbécile.

Elle se pencha sur lui et le palpa. Puis, au bout d'un instant, elle se redressa; elle tenait une petite clé au bout d'une chaîne mince.

Elle demanda avec amertume :

— Etiez-vous forcé de le tuer?

Je m'arrêtai de rire aussi brusquement que j'avais commencé. Elle passa derrière moi et ouvrit les menottes.

— Oui... dit-elle doucement. Je suppose que oui...

CHAPITRE XXX

Un jour avait passé. Le soleil brillait de nouveau. Le capitaine Gregory, du Bureau des Disparus, regardait d'un air harassé par la fenêtre de son bureau le dernier étage grillagé du Palais de Justice, blanc et propre après la pluie. Puis il pivota lentement sur son fauteuil tournant, tassa le tabac de sa pipe d'un pouce un tantinet roussi et me regarda d'un œil inexpressif.

— Alors, vous voilà dans un nouveau pétrin?

— Ah! vous avez entendu parler de ça?

— Mon petit, je reste assis toute la journée sur mon cul et j'ai pas l'air très intelligent. Mais vous seriez surpris de ce que j'apprends. Descendre Canino, je pense que ce n'était pas mal, mais je ne sais pas si les gars de la brigade criminelle vont vous décorer pour ça.

— Tout le monde se zigouillait autour de moi, dis-je. J'avais pas eu ma ration.

Il sourit tranquillement.

— Qui vous a dit que cette femme était celle d'Eddie Mars?

Je le lui dis. Il écouta attentivement et bâilla. Il tapota sa bouche pavée d'or avec une patte grande comme un plateau.

— Je suppose que vous pensez que j'aurais dû la dénicher.

— C'est une astucieuse déduction.

— Peut-être que je le savais, dit-il. Peut-être que

je me disais que si Eddie et sa femme voulaient jouer une petite comédie comme ça, ça serait astucieux — pour autant que je puisse être astucieux — de leur laisser croire qu'ils nous possédaient. Et d'ailleurs peut-être que vous croyez aussi que je fichais la paix à Eddie pour des raisons plus personnelles.

Il tendit sa grande main et frotta son pouce sur l'index et le médius.

— Non, dis-je. Je n'ai pas vraiment cru ça. Même pas quand Eddie m'a paru être au courant de notre conversation de l'autre jour.

Il haussa ses sourcils comme si c'était un effort, un truc qu'il n'avait plus l'habitude de faire. Ça plissa tout son front et quand il se déplissa, il était plein de rides blanches qui rougirent pendant que je les observais.

— Je suis un flic, dit-il. Un flic tout ce qu'il y a d'ordinaire. Raisonnablement honnête. Aussi honnête qu'on peut l'espérer pour un homme vivant dans un monde où ce n'est plus de mise. C'est la principale des raisons pour lesquelles je vous ai demandé de venir ce matin. Je voudrais que vous en soyez convaincu. Etant un flic, je préfère que la loi triomphe. J'aimerais voir de belles canailles bien habillées comme Eddie Mars s'abîmer les ongles dans des carrières de cailloux à Folsom, côte à côte avec les petits minables des faubourgs sous-alimentés qui se sont fait poirer à leur premier casse et n'ont jamais eu de chance depuis. C'est ça que je voudrais. Vous et moi, nous avons vécu assez longtemps pour savoir que jamais je ne verrai ce jour-là. Ni dans cette ville, ni dans une ville moitié moins grande, ni dans le moindre recoin des florissants, vastes et verdoyants Etats-Unis d'Amérique. Nous ne dirigeons pas notre pays de cette façon-là.

Je ne répondis pas. Il souffla sa fumée avec un petit mouvement de recul de la tête, regarda le tuyau de sa pipe et continua :

— Mais ça ne veut pas dire que je croie qu'Eddie Mars a liquidé Regan, qu'il ait eu la moindre raison de le faire, ni qu'il l'eût fait s'il en avait eu une. Je me suis simplement dit qu'il savait quelque chose et que, tôt ou tard, il y aurait une fuite. Cacher sa femme à Realito était enfantin; mais c'est le genre de bêtises qu'un malin singe trouve malignes. Il était là la nuit dernière, quand le procureur du district en a eu fini avec lui. Il a reconnu les faits. Il a dit qu'il considérait Canino comme un garde du corps de confiance, et que c'est à ce titre qu'il l'employait. Il ne savait rien et ne voulait rien savoir de ses fantaisies. Il ne connaissait pas Harry Jones. Il ne connaissait pas Joe Brody. Il connaissait Geiger, naturellement, mais affirme qu'il ignorait sa combine. Je suppose que vous avez entendu tout ça.

— Oui.

— Vous avez fait le malin, à Realito, mon vieux. Sans chercher à rien camoufler. Nous avons des fiches sur les balles non identifiées, maintenant. Un jour, vous vous resservirez du revolver. Et vous serez dans la mélasse.

— Je suis plus malin que ça, dis-je, et je ricanai.

Il vida sa pipe à petits coups et la couva du regard.

— Qu'est devenue la fille? demanda-t-il sans lever les yeux.

— Je ne sais pas. Ils ne l'ont pas gardée. Nous avons fait des dépositions, trois fois, pour Wilde, au bureau du shérif, pour la brigade criminelle. Ils l'ont relâchée, je ne l'ai pas revue. Je ne pense pas la revoir.

— Gentille fille, paraît-il. Pas une à faire des trucs moches.

Le capitaine Gregory soupira et ébouriffa ses cheveux grisonnants.

— Il y a encore une chose, dit-il presque gentiment. Vous avez l'air d'un bon garçon, mais vous jouez un peu trop au coriace. Si vous voulez vraiment aider la famille Sternwood, laissez-les tranquilles.

— Vous devez avoir raison, capitaine.

— Comment vous sentez-vous?

— Au poil, dis-je. Je suis resté debout sur divers modèles de tapis les trois quarts de la nuit, pendant qu'on me cuisinait. Au préalable, j'avais pris la douche et je m'étais fait casser la gueule. Je suis dans une forme splendide.

— Qu'est-ce que vous attendiez d'autre, foutre bleu?

— Rien.

Je me levai, lui souris et me disposai à sortir. Quand je fus arrivé à la porte, il se racla la gorge brusquement et dit d'une voix âpre :

— Je perds mon temps, hein? Vous vous imaginez encore que vous trouverez Regan?

Je me retournai et le regardai droit dans les yeux.

— Non, je ne crois pas que je retrouverai Regan. Je n'essaierai même pas. Ça vous va?

Il acquiesça lentement. Puis il haussa les épaules.

— Je ne sais foutre pas pourquoi je vous ai dit ça. Bonne chance, Marlowe. Passez quand vous voudrez.

Je sortis du Palais de Justice, repris ma voiture au parc et revins à Hobart Arms. Je me couchai sans enlever mon manteau et regardai le plafond, en prêtant l'oreille à la circulation du dehors et en guettant le soleil qui tournait lentement autour d'un angle du plafond. J'essayai de dormir, mais le sommeil ne venait pas. Je me levai, bus un coup, quoique ce ne soit pas le moment, et me recouchai. Pouvais pas dormir quand même. Mon crâne battait comme une pendule. Je m'assis au bord du lit, bourrai ma pipe et dis à haute voix :

— Ce vieux hibou sait quelque chose.

La pipe me parut amère comme de la lessive. Je la flanquai en l'air et me recouchai. Mes pensées filaient dans des souvenirs irréels où j'avais l'impression de faire et de refaire, sans trêve la même chose, d'aller aux mêmes endroits, de revoir les mêmes gens, de leur dire les mêmes mots; et cela recommençait sans trêve, et à chaque fois ça avait l'air vrai, comme quelque chose qui arrivait pour de vrai et pour la première fois.

Je filais à toute vitesse sur la route, dans la pluie, et Boucles d'Ange, dans le coin de la voiture, ne disait rien, si bien qu'en arrivant à Los Angeles, nous étions redevenus complètement étrangers l'un à l'autre. J'entrais dans un drugstore ouvert de nuit et je téléphonais à Bernie Ohls que j'avais tué un homme et que je me rendais chez Wilde avec la femme d'Eddie Mars qui m'avait vu le tuer. Je menais la voiture le long des rues silencieuses, lavées par la pluie, jusqu'à Lafayette Park, jusqu'à la porte cochère de la grande maison de bois de Wilde, et la lumière du porche était déjà allumée, Ohls ayant téléphoné que j'arrivais. J'étais dans le bureau de Wilde et il se tenait derrière son bureau dans une robe de chambre à fleurs, avec une figure dure et contractée; et un cigare bosselé, dans ses doigts, s'élevait jusqu'au sourire amer de ses lèvres. Ohls était là, avec un type maigre à l'air universitaire qui ressemblait plus à un professeur d'économie politique qu'à un flic... et il parlait comme ça aussi. Je leur racontais l'histoire, ils m'écoutaient tranquillement, et Boucles d'Ange était assise dans l'ombre, les mains sur les genoux, et ne regardait personne. Il y avait des tas de coups de fil. Deux types de la brigade criminelle qui me regardaient comme une espèce d'animal bizarre échappé d'un cirque ambulant. J'étais au volant de nouveau, avec l'un d'eux à côté de moi, en route pour le Fulwider Building. Nous nous trouvions dans la pièce où Harry Jones gisait toujours dans le fauteuil derrière le bureau, avec sa figure morte tordue et contractée et l'odeur douce amère de la pièce. Il y avait un médecin jeune et enroué, avec des poils rouges sur le cou. Un type du service des empreintes qui tournaillait, et je lui disais de ne pas oublier le loquet de l'imposte (il y trouva l'empreinte du pouce de Canino, la seule empreinte que l'homme brun ait laissée pour confirmer mon histoire.)

J'étais de retour chez Wilde, je signais une déposition dactylographiée que son secrétaire venait de taper dans une autre pièce. Puis la porte s'ouvrait, Eddie Mars entrait et un brusque sourire éclairait son visage lorsqu'il voyait Boucles d'Ange, et il disait : Bonjour, chou, et elle ne le regardait ni ne répondait. Eddie Mars, frais et dispos, dans un complet sombre, avec une écharpe à franges qui sortait de son manteau de tweed. Et puis ils étaient sortis, tout le monde était sorti sauf

Wilde et moi-même, et Wilde me disait d'une voix glacée et irritée :

« C'est la dernière fois, Marlowe. La prochaine blague que vous faites, je vous jette aux lions, tant pis pour les cœurs brisés. »

C'était comme ça, tout le temps, et ça revenait et j'étais sur mon lit et je regardais la tache de soleil descendre dans l'angle du mur. Et puis le téléphone sonna, et c'était Norris, le valet des Sternwood, avec sa voix inaltérable.

— Monsieur Marlowe? J'ai téléphoné sans succès à votre bureau, de sorte que j'ai pris la liberté de vous appeler chez vous.

— Je suis sorti presque toute la nuit, dis-je. Je n'y étais pas.

— Oui, monsieur. Le général serait heureux de vous voir ce matin, monsieur Marlowe, si cela vous est possible.

— Dans une demi-heure à peu près, dis-je. Comment va-t-il?

— Il est au lit, monsieur, mais il ne va pas mal.

— Attendez qu'il m'ait vu, dis-je, et je raccrochai.

Je me rasai, me changeai et me dirigeai vers la porte. Et puis je revins sur mes pas, pris le petit revolver à crosse de nacre de Carmen, et le mis dans ma poche. Le soleil était si gai qu'il dansait. Je fus à la propriété des Sternwood en vingt minutes et remontai l'allée en passant sous le porche jusqu'à la porte latérale. Il était onze heures et quart. Les oiseaux, dans les arbres taillés, s'enivraient de chansons après la pluie, les pelouses en terrasse étaient vertes comme le drapeau irlandais et l'ensemble de la propriété avait l'air d'avoir vu le jour dix minutes plus tôt. Je sonnai. Cinq jours depuis mon premier coup de sonnette. Ça me faisait l'effet d'un an.

Une femme de chambre m'ouvrit et me conduisit jusqu'à l'entrée principale par un couloir latéral. Elle me planta là en me disant que M. Norris allait descendre dans un instant. L'entrée principale était identique à elle-même. Le portrait, au-dessus de la cheminée, vous regardait toujours de ses yeux noirs, et le chevalier persistait à ne pas réussir à délivrer la dame toute nue ficelée à son arbre.

Au bout de quelques instants, Norris parut; lui non plus n'avait pas changé. Ses yeux bleu dur étaient aussi distants que jamais, sa peau gris rose avait l'air saine et reposée, et il se déplaçait comme s'il avait eu vingt ans de moins que son âge. C'est moi qui sentais le poids des années.

Nous montâmes l'escalier carrelé et tournâmes dans la direction opposée à celle de la chambre de Vivian. A chaque pas que nous faisions, la maison semblait s'agrandir et s'assourdir. Nous atteignîmes une vieille porte massive qui ressemblait à une porte d'église. Norris l'ouvrit doucement et jeta un coup d'œil. Puis il s'effaça et je passai devant lui pour traverser cinq mètres de tapis avant d'arriver à un grand lit à baldaquin du genre de celui où était mort Henry VIII.

Le général Sternwood était assis, soutenu par des coussins. Ses mains exsangues étaient croisées sur le bord du drap. Elles paraissaient grises à côté. Ses yeux noirs restaient pleins d'ardeur, et pourtant, le reste de son visage était celui d'un cadavre.

— Asseyez-vous, monsieur Marlowe.

Sa voix paraissait fatiguée et un peu tendue.

J'approchai de lui une chaise et m'assis. Toutes les fenêtres étaient fermées. La pièce était dans l'ombre à cette heure du jour. Des stores absorbaient tout ce qui pouvait venir du ciel. L'atmosphère avait la faible et douce odeur de la vieillesse.

Il me regarda en silence un long moment. Il bougea une main, comme pour se prouver à lui-même qu'il pouvait encore la remuer, puis la reposa sur l'autre. Il dit d'une voix sans vie :

— Je ne vous ai pas demandé de chercher mon gendre, monsieur Marlowe.

— Vous le désirez tout de même.

— Je ne vous l'ai pas demandé. Vous avez pris une audacieuse initiative. J'ai l'habitude de demander ce que je veux.

Je ne soufflai mot.

— Vous avez été payé, continua-t-il froidement. L'argent n'a aucune importance, de toute façon. Je trouve simplement que vous avez, naturellement sans le vouloir, trahi un engagement.

Il ferma les yeux. Je répondis :

— C'est tout ce que vous vouliez me dire?

Il rouvrit les yeux, très lentement, comme si ses paupières étaient de plomb.

— Je suppose que mon observation vous a mis en colère? dit-il.

Je secouai la tête :

— Vous avez un avantage sur moi, général. C'est un avantage dont je ne voudrais pas retirer un poil... C'est peu, à considérer ce que vous avez à supporter par ailleurs. Vous pouvez me dire tout ce que vous voulez et je n'aurai pas l'idée de me mettre en colère. Je vous offre de reprendre votre argent. Ça peut ne rien signifier pour vous. Ça peut signifier quelque chose pour moi.

— Qu'est-ce que ça signifie pour vous?

— Que j'ai refusé le paiement d'un travail qui n'a satisfait personne. C'est tout.

— Faites-vous beaucoup de travaux comme ça?

— Quelques-uns. Tout le monde en fait.

— Pourquoi avez-vous été voir le capitaine Gregory?

Je me renversai dans mon fauteuil et passai un bras par-dessus le dossier. J'étudiai son visage. Il ne m'apprit rien. Je ne connaissais pas de réponse à cette question, pas de réponse satisfaisante.

Je répondis :

— J'étais convaincu que vous m'aviez donné ces trois reçus de Geiger surtout pour me mettre à l'épreuve, et qu'au fond, vous aviez peur que Regan ne soit impliqué dans une tentative de chantage qui vous visait. Je ne savais rien de Regan à ce moment-là. Ce n'est qu'après avoir parlé au capitaine Gregory que je me suis rendu compte que Regan n'était, selon toutes probabilités, pas du tout ce genre de type.

— Ce n'est pas une réponse à ma question.

J'acquiesçai.

— Non. Ce n'est pas une réponse à votre question. Je crois que ça me gêne un peu d'admettre que j'ai joué sur une intuition. Le matin où je suis venu ici, lorsque je vous ai quitté dans la serre, Mme Regan m'a fait venir. Elle a paru insinuer que j'étais engagé pour rechercher son mari et ça ne lui a pas plu. Elle m'a cependant appris qu' « on » avait retrouvé sa voiture dans un certain garage. Ce « on » ne pouvait être que la police. Par conséquent, la police devait savoir quelque chose. Si oui, le Bureau des Disparus devait être le bureau intéressé. Je ne savais pas si vous l'aviez signalé, naturellement, ou si quelqu'un d'autre l'avait fait, ou s'ils avaient trouvé la voiture par l'intermédiaire d'une tierce personne. Mais je connais les flics, et je savais que s'ils étaient au courant de ça, ils devaient en avoir appris un peu plus long — particulièrement du fait que votre chauffeur avait un casier judiciaire. J'ignorais s'ils avaient grand-chose de plus. C'est ce qui m'a fait penser au Bureau des Disparus. Ce qui m'a confirmé dans ma conviction, c'est l'attitude de M. Wilde, le soir où nous avons eu une réunion dans son bureau à propos de Geiger. Nous sommes restés seuls un instant et il m'a demandé si vous m'aviez dit que vous recherchiez Regan. J'ai répondu que vous m'aviez dit que vous voudriez bien savoir où il était et s'il allait bien. Wilde a avalé sa lèvre et il a pris un air bizarre. J'ai compris aussi clairement que s'il me l'avait dit que par « rechercher Regan » il entendait se servir de l'organisation de la police pour le chercher. Même à ce moment-là, je me suis efforcé de répondre au capitaine Gregory de façon à ne rien lui révéler qu'il ne connût déjà.

— Et vous avez laissé croire au capitaine Gregory que je vous avais engagé pour retrouver Rusty.

— Oui, j'ai dû faire ça... Une fois certain qu'il était sur l'affaire.

Il ferma les yeux. Ils clignèrent un peu. Il parla les yeux fermés.

— Et vous trouvez ça honnête?

— Oui, dis-je. Sans aucun doute.

Ses yeux se rouvrirent. Leur regard noir et perçant surprenait, dans cette figure morte.

— Peut-être que je ne comprends pas, dit-il.

— Peut-être. Le chef du Bureau des Disparus n'est forcément pas bavard. Il ne remplirait pas ses fonctions s'il l'était. Celui-là est un type très astucieux qui tâche... et qui réussit pas mal, au début, à vous donner l'impression d'un bonhomme entre deux âges complètement dégoûté de son travail. Le jeu que je joue n'est pas un jeu de jonchets... Il y a toujours une grande partie de bluff à la clé. Quoi que je puisse dire à un flic, il est fichu de ne pas en tenir compte. Et pour ce flic-là, ce que je dis ou rien c'est la même chose. Quand on embauche un type dans ma partie, ce n'est pas comme quand on prend un laveur de carreaux pour lui montrer huit fenêtres et lui dire : « Lave ça, et c'est fini ». Vous ne savez pas par-dessus ou par-dessous quoi je suis forcé de passer pour accomplir votre travail. Je l'exécute comme je l'entends. Je fais de mon mieux pour vous rendre service, et je peux faire quelques entorses au règlement, mais toujours en votre faveur. Le client d'abord, à moins qu'il ne soit malhonnête. Mais, même à ce moment-là, tout ce que je fais, c'est de lui rendre mon tablier et de la boucler. Après tout, vous ne m'avez pas dit de ne pas aller voir le capitaine Gregory.

— Ça aurait été plutôt difficile, dit-il.

— Bon; et qu'est-ce que j'ai fait de mal? Votre Norris a eu l'air de penser, quand Geiger a été liquidé, que l'affaire était terminée. Je ne vois pas ça comme ça. Les méthodes d'approche de Geiger m'ont étonné et m'étonnent encore. Je ne suis pas Sherlock Holmes ni Philo Vance. Je ne m'attends pas à ramasser une pointe de stylo cassée sur des lieux que la police a examinés et à reconstruire l'affaire à partir de là. Si vous vous imaginez qu'il y a des détectives qui gagnent leur vie avec ce système-là, alors vous ne connaissez pas beaucoup les flics. Ce ne sont pas des choses comme ça qu'ils laissent passer, à supposer qu'ils laissent passer quelque chose quand ils ont réellement la liberté de travailler. Mais s'ils le font, c'est certainement quelque chose de moins net et de plus vague, comme le fait qu'un homme du genre de Geiger vous envoie des reconnaissances de dette et vous demande de les payer comme un gentleman; Geiger, un type qui s'occupe d'une combine louche, qui est dans une position dangereuse, protégé par un gangster et profitant au moins de la tolérance d'une fraction de la police. Pourquoi avait-il fait ça? Parce qu'il voulait savoir si quelqu'un vous tenait d'une façon quelconque. Si oui, vous deviez payer. Sinon, vous ne bougeriez pas et attendriez qu'il se manifeste. Mais quelqu'un vous tenait : Regan. Vous aviez peur qu'il ne soit pas ce qu'il avait eu l'air d'être, que ce ne soit pas un chic type et qu'il ne soit resté avec vous que pour trouver le moyen de s'amuser un petit peu avec votre compte en banque.

Il voulut dire quelque chose mais je l'interrompis.

— Même si ce n'était pas votre argent qui vous inquiétait. Ce n'était pas pour vos filles non plus. Vous les avez plus ou moins rayées de votre existence. C'est que vous êtes encore trop fier pour passer pour une poire — et vous aimiez Regan pour de vrai.

Il y eut un silence. Et puis le général dit tranquillement :

— Vous parlez bougrement trop, Marlowe. Dois-je comprendre que vous essayez encore de reconstituer ce puzzle?

— Non. J'ai laissé tomber. On m'a prévenu. Les autres trouvent que je joue trop dur. C'est pourquoi j'ai pensé que je devais vous rendre votre argent — parce que selon mes normes personnelles, ce n'est pas un travail terminé.

Il sourit.

— Laissez tomber, pas question, dit-il. Je vous donne mille dollars de plus pour retrouver Rusty. Je ne demande pas qu'il revienne, je n'ai même pas besoin de savoir où il est. Un homme a le droit de vivre sa vie. Je ne lui reproche pas d'avoir quitté ma fille ni même d'être parti si brusquement. C'était sans doute une impulsion subite. Je voudrais savoir s'il va bien, là où il est. Je veux le savoir directement de lui-même, et s'il se trouvait qu'il ait besoin d'argent, je voudrais qu'il en ait également. Suis-je assez clair?

Je répondis :

— Oui, général.

Il se reposa un instant, allongé sur son lit, les yeux fermés, les paupières mauves, la bouche serrée et exsangue. Il était fini. Il était presque liquidé. Il rouvrit les yeux et essaya de me sourire.

— Je suppose que je suis une vieille bique sentimentale, dit-il. Et pas un soldat du tout. Je me suis toqué de ce garçon. Il m'a paru vraiment propre. Peut-être que j'ai un peu trop confiance en mon jugement sur les caractères. Trouvez-le-moi, Marlowe. Trouvez-le, c'est tout...

— J'essaierai, dis-je. Vous allez vous reposer, maintenant. Je vous ai fatigué.

Je me levai rapidement, traversai la grande pièce et sortis. Il avait refermé les yeux avant que j'aie ouvert la porte. Ses mains reposaient, inertes, sur le drap. Il avait plus l'air d'un mort que bien des morts véritables.

Je fermai la porte sans bruit, repris le couloir du premier et descendis les marches.

CHAPITRE XXXI

Le valet parut; il me tendit mon chapeau. Je le mis et dis :

— Qu'est-ce que vous pensez de son état?

— Il n'est pas si faible qu'il le paraît, monsieur.

— S'il l'était, il serait prêt pour l'enterrement. Qu'est-ce qu'il avait, ce Regan, qui lui plaisait tant?

Le valet me regarda bien en face, et pourtant, avec une curieuse absence d'expression.

— La jeunesse, monsieur, dit-il. Et l'œil du soldat.

— Comme vous, dis-je.

— Et, si je puis me permettre, monsieur, pas très différent du vôtre.

— Merci. Comment vont les dames, ce matin?

Il haussa les épaules, poliment.

— Exactement ce que je pensais, dis-je.

Il m'ouvrit la porte.

Debout sur le perron, je contemplai à mes pieds les pelouses en terrasse, les arbres peignés et les massifs, qui s'étendaient jusqu'à la grande grille de fer en bas des jardins. Je vis Carmen à peu près à mi-chemin, assise sur un banc de pierre, la tête entre les mains, solitaire et abandonnée.

Je descendis les marches de brique rouge qui menaient de terrasse en terrasse. J'arrivai tout près d'elle avant qu'elle me voie. Elle sursauta et se retourna comme un chat. Elle avait les slacks bleu clair qu'elle portait la première fois que je l'avais vue. Ses cheveux blonds faisaient la même vague floue. Sa figure était blanche. Des plaques rouges flambèrent sur ses joues quand elle me vit. Ses yeux étaient gris ardoise.

— On s'embête? dis-je.

Elle sourit lentement, plutôt timidement, puis acquiesça très vite. Elle murmura :

— Vous n'êtes pas furieux contre moi?

— Je croyais que, vous, vous étiez furieuse contre moi.

Elle leva son pouce et gloussa :

— Non.

Quand elle gloussait, je ne l'aimais plus du tout. Je regardai autour de moi. A dix mètres, dans une cible accrochée à un arbre, quelques fléchettes étaient plantées. Il y en avait trois ou quatre autres sur le banc de pierre.

— Pour des gens qui ont de l'argent, vous et votre sœur, vous n'avez pas l'air de beaucoup rigoler, dis-je.

Elle me regarda derrière ses longs cils. C'était le regard qui était censé me faire frétiller sur le dos. Je repris :

— Ça vous amuse de lancer des fléchettes?

— Voui.

— Ça me rappelle quelque chose.

Je regardai la maison derrière moi. Je m'avançai d'un mètre pour me dissimuler derrière un arbre. Je tirai de ma poche son petit revolver à crosse de nacre.

— Je vous ai rapporté votre artillerie. Je l'ai nettoyé et chargé. Un conseil : ne tirez pas sur les gens avant de savoir tirer. Compris?

Sa figure pâlit et son drôle de pouce s'abaissa. Elle me regarda, puis l'arme que je tenais. Il y avait un air de fascination dans son regard.

— Oui, dit-elle en hochant la tête.

Puis, tout à coup :

— Apprenez-moi à tirer. Je voudrais.

— Ici? C'est défendu.

Elle s'approcha de moi, me prit le revolver des mains, crispa ses doigts sur la crosse. Puis elle le fourra prestement dans son pantalon, presque furtivement, et regarda autour d'elle.

— Je sais où, dit-elle d'une voix pleine de mystère. Tout en bas, près des vieux puits.

Elle désigna le bas des collines.

— Vous m'apprenez?

Je contemplai ses yeux bleu ardoise. Autant regarder des capsules de bouteilles.

— D'accord, rendez-moi le revolver, et je verrai si l'endroit convient.

Elle sourit, fit la moue et me le rendit de l'air d'une vilaine petite fille, comme si elle me donnait la clé de sa chambre. Nous descendîmes les marches et fîmes le tour de la maison jusqu'à ma voiture. Les jardins paraissaient déserts. Le soleil était vide comme le sourire d'un maître d'hôtel. Nous montâmes et je descendis l'allée encaissée, puis nous franchîmes les grilles.

— Où et Vivian? demandai-je.

— Pas encore levée.

Elle gloussa.

Je descendis la colline par les rues cossues et lavées par la pluie, tournai à l'est vers La Brea, puis au sud. Nous fûmes à l'endroit désigné en dix minutes à peu près.

— Par là...

Elle se pencha par la portière et tendit son doigt. C'était un étroit chemin de terre, guère mieux qu'un sentier, comme l'entrée d'un ranch dans les collines. Une grande barrière à cinq planches était ouverte, appliquée contre une souche, et paraissait ne pas avoir été fermée depuis des années. Le chemin était bordé de grands eucalyptus et plein d'ornières profondes. Des camions l'avaient emprunté. Vide et ensoleillé maintenant, mais pas encore poussiéreux; la pluie avait été trop violente et trop récente. Je suivis les ornières et le bruit de la circulation de la ville diminua curieusement et rapidement, comme si nous n'étions plus dans la ville, mais dans un pays de rêve. Puis la poutre oscillante, maintenant immobile, huileuse, d'un derrick carré en bois, apparut au-dessus d'une branche. J'aperçus le vieux câble d'acier rouillé qui reliait la poutre oscillante à une demi-douzaine d'autres. Elles ne bougeaient pas, n'avaient pas dû bouger depuis un an peut-être. Le pompage était arrêté. Il y avait une pile de tuyaux rouillés, une plate-forme de chargement affaissée à un bout, une demi-douzaine de barils à pétrole gisant en tas irréguliers. L'eau stagnante, pleine de pétrole, d'un vieux puisard, s'irisait à la lueur du soleil.

— Ils vont faire un parc de tout ça? demandai-je.

Elle baissa son menton et me regarda.

— Il commence à être temps. L'odeur de ce puisard ferait crever un troupeau de boucs. C'est cet endroit-là que vous vouliez dire?

— Voui.

— C'est superbe.

Je m'arrêtai près de la plate-forme de chargement. Nous sortîmes. Je prêtai l'oreille. La rumeur de la ville n'était plus qu'un léger bruit de fond, comme un bourdonnement d'abeilles. L'endroit était aussi désert qu'un cimetière. Mais après cette pluie, les grands eucalyptus avaient l'air poussiéreux. Ils ont toujours l'air poussiéreux. Une branche cassée par le vent était tombée au bord du puisard et les feuilles de cuir plat frissonnaient dans l'eau.

Je fis le tour du puisard et regardai dans la cabine de pompage. Il y avait pas mal de vieux trucs, rien qui dénotât une activité récente. Dehors, une grande roue de bois s'appuyait au mur. Ça avait l'air du coin idéal.

Je revins à la voiture. Debout à côté d'elle, la jeune fille soulevait ses cheveux et les tendait au soleil.

— Donnez... dit-elle en avançant la main.

Je pris le revolver et le posai dans sa paume. Je me baissai et ramassai un bidon rouillé.

— Attention, maintenant, dis-je. Les cinq balles y sont. Je vais poser ce bidon là-bas, dans le trou carré de cette grande roue en bois. Vous voyez?

Je la désignai. Elle hocha la tête, ravie.

— Ça fait dans les dix mètres. Ne commencez pas à tirer avant que je sois revenu près de vous. D'accord?

— D'accord, gloussa-t-elle.

Je fis le tour du puisard et disposai le bidon au milieu de la roue. Ça faisait une belle cible. Si elle loupait le bidon, ce qui était sûr, elle aurait probablement la roue. Ça devait arrêter net une balle de petit calibre. D'ailleurs, elle ne toucherait même pas.

Je fis le tour dans l'autre sens. J'étais à trois mètres d'elle, au bord du puisard, lorsqu'elle me montra toutes ses petites dents aiguës, leva le revolver et se mit à siffler.

Je m'arrêtai net. Derrière moi, l'eau stagnante du puisard empestait.

— Bouge plus, fumier... dit-elle.

L'arme visait ma poitrine. Sa main paraissait parfaitement assurée. Le sifflement se fit plus fort et sa figure prit son aspect de tête de mort. Vieillie, abîmée, animale... et pas un joli animal.

Je lui ris au nez. Je marchai vers elle. Je vis le petit doigt appuyer sur la détente et son extrémité blanchir. J'étais à peu près à deux mètres d'elle quand elle commença à tirer.

Le bruit du coup de feu fut un claquement sec, sans consistance, comme une branche craquant en plein soleil. Je ne vis pas de fumée. Je m'arrêtai et lui souris. Elle tira encore deux fois, très vite. Je crois qu'aucune des balles ne m'aurait manqué. Il y en avait quatre. Je me jetai sur elle.

Je ne voulais pas recevoir la dernière dans la figure et je fis un plongeon latéral. Elle me tira dessus très soigneusement, pas du tout gênée. Je crois que je sentis le vent chaud de la capsule.

Je me redressai.

— Mince! Mais vous êtes chou! dis-je.

La main qui tenait le revolver vide commença à trembler violemment et le laissa choir. Sa bouche se mit à frémir. Son visage se défit entièrement. Puis sa tête se dévissa et de l'écume lui vint aux lèvres. Sa respiration faisait un bruit chuintant. Elle chancela.

Je l'attrapai au vol. Elle était déjà inconsciente. J'ouvris sa bouche à deux mains et lui fourrai un mouchoir roulé en boule entre les dents. Il me fallut employer toute ma force. Je la soulevai, la mis dans l'auto, puis revins ramasser l'arme et la fourrai dans ma poche. Je m'installai au volant, fis une marche arrière et repartis par le chemin que nous avions suivi, la route aux ornières, la barrière, la colline, et la maison.

Carmen gisait recroquevillée dans un coin de la voiture, immobile. A mi-chemin de l'allée qui menait à la maison, elle se mit à gigoter. Puis ses yeux s'ouvrirent tout d'un coup, agrandis et affolés. Elle s'assit.

— Qu'est-ce qui est arrivé? hoqueta-t-elle.

— Rien. Pourquoi ça?

— Oh! si, gloussa-t-elle. J'ai fait pipi...

— Elles font toutes ça, dis-je.

Elle me regarda d'un air soudain rêveur et maladif, puis elle se mit à gémir.

CHAPITRE XXXII

La femme de chambre aux doux yeux et à la figure de cheval m'introduisit dans le grand boudoir gris et blanc du premier étage; des rideaux ivoire tombaient, extravagants, sur le sol recouvert d'une moquette blanche. Un boudoir de star de cinéma, un lieu de charme et de séduction aussi artificiel qu'une jambe de bois. Il était vide pour le moment. La porte se ferma derrière moi avec la douceur peu naturelle d'une porte d'hôpital. Une table à déjeuner roulante stationnait près du lit de repos. Son argenterie brillait. J'avisai des cendres de cigarette dans la tasse de café. Je m'assis et attendis.

Un temps qui me parut long, puis la porte se rouvrit et Vivian entra. Elle portait un pyjama blanc bleuté bordé de fourrure blanche, coupé aussi flou qu'une mer d'été moussant sur la plage d'une petite île privée.

Elle passa devant moi à longues enjambées et s'assit au bord du lit de repos. Elle avait une cigarette au coin des lèvres. Aujourd'hui, ses ongles étaient rouge cuivre de l'extrémité à la racine, sans lunules.

— En somme, vous n'êtes tout de même qu'une brute, dit-elle tranquillement, en me regardant. Une brute complètement insensible. Vous avez tué un homme la nuit dernière. Peu importe comment je le sais. Je le sais. Et maintenant, il faut que vous veniez faire peur à ma petite sœur et lui flanquer une crise.

Je ne soufflai mot. Elle commença à s'agiter. Elle gagna un fauteuil bas et reposa sa tête sur un coussin blanc étalé sur le dossier contre le mur. Elle exhala une fumée grise et pâle et la regarda monter vers le plafond et s'effilocher en petites volutes qui, pendant quelques instants, se distinguèrent encore puis se fondirent dans l'air et disparurent. Et puis, très lentement, elle abaissa les yeux et me lança un regard dur et froid.

— Je ne vous comprends pas, dit-elle. Je suis drôlement contente que l'un de nous deux n'ait pas perdu la tête avant-hier soir. C'est suffisant d'avoir un trafiquant d'alcool dans son passé. Pour l'amour de Dieu, pourquoi ne dites-vous rien?

— Comment va-t-elle?

— Oh! elle va bien, je pense. Endormie très vite. Elle dort toujours après. Qu'est-ce que vous lui avez fait?

— Rien du tout. Je suis sorti de la maison après avoir vu votre père, elle était dehors. Elle venait de s'amuser à lancer des fléchettes sur une cible pendue à un arbre. Je suis descendu lui parler parce que j'avais quelque chose qui lui appartenait. Un petit revolver qu'Owen Taylor lui avait donné autrefois. Elle l'a emporté chez Brody l'autre soir, le soir où il a été tué. Il a fallu que je le lui prenne. Je ne vous l'avais pas dit, alors peut-être ne le saviez-vous pas.

Les yeux noirs des Sternwood s'agrandirent et se creusèrent. C'était son tour de ne rien dire.

— Elle était contente de récupérer son petit revolver et elle a voulu que je lui apprenne à tirer. Elle a voulu aussi me montrer les anciens puits de pétrole, en bas de la colline, là où votre famille a gagné une partie de sa fortune. Nous sommes descendus là-bas, et c'était plutôt inquiétant, rien que du métal rouillé, du vieux bois, des puits silencieux et des vieux puisards pleins de graisse et de crasse. Peut-être que ça l'a troublée. Je suppose que vous y avez déjà été. C'est un peu irréel.

— Oui... c'est exact.

C'était une voix mince et sans souffle, maintenant.

— Donc, nous avons été là-bas et j'ai posé un bidon sur une grande roue pour qu'elle tire dessus. Elle a piqué une crise. Ça m'a eu l'air d'une petite crise d'épilepsie.

— Oui.

La même voix inexistante :

— Elle en a une de temps à autre. C'est pour ça seulement que vous vouliez me voir?

— Je suppose que vous ne voulez toujours pas me dire ce qu'Eddie Mars sait sur vous?

— Rien du tout. Et je commence à être un peu fatiguée de cette question, dit-elle froidement.

— Connaissez-vous un certain Canino?

Elle fronça ses beaux sourcils noirs en réfléchissant.

— Vaguement. Il me semble me rappeler ce nom.

— Le tueur d'Eddie Mars. Un dur de dur, paraît-il. Je suppose qu'il l'était. Si une dame ne m'avait pas aidé un petit peu, c'est moi qui le remplacerais à la morgue.

— Les dames m'ont l'air de...

Elle s'arrêta net et pâlit.

— Je ne peux pas plaisanter là-dessus, dit-elle simplement.

— Je ne plaisante pas; si j'ai l'air de tourner en rond, c'est parce que l'histoire est comme ça. Tout ça est lié — tout. Geiger et ses gentils petits coups de chantage. Brody et ses photos, Eddie Mars et ses tables de roulette, Canino et la femme avec laquelle Rusty Regan ne s'est pas enfui. Tout ça se tient.

— J'ai peur de ne pas comprendre un mot de ce que vous me dites.

— A supposer que vous ayez compris, ça donnerait à peu près ça : Geiger met le grappin sur votre sœur, ce qui n'est pas très difficile, lui fait signer des reçus et essaie de faire chanter gentiment votre père avec. Eddie Mars était derrière Geiger, le protégeait et s'en servait pour lui faire tirer les marrons du feu. Votre père, au lieu de payer, m'a convoqué, ce qui montre qu'il n'avait peur de rien de spécial. C'est ce dont Eddie Mars voulait s'assurer. Il savait quelque chose sur vous et il voulait savoir si ça marchait aussi pour le général. Si oui, il pouvait ramasser beaucoup d'argent en un rien de temps. Sinon, il n'avait qu'à attendre le moment où vous hériteriez votre part de la fortune de la famille, et pendant ce temps-là, se contenter de la menue monnaie qu'il pouvait vous soutirer à la roulette. Geiger a été tué par Owen Taylor, qui était amoureux de votre idiote de sœur et qui n'aimait pas les petits jeux auxquels Geiger jouait avec elle. Ça, Eddie s'en foutait. Il jouait un jeu bien plus important que tout ce que Geiger, que Joe Brody ou que n'importe qui — sauf vous et un dur nommé Canino — pouvaient concevoir. Votre mari a disparu, et Eddie, sachant que personne n'ignorait ses querelles avec Regan, a caché sa femme à Realito et donné mission à Canino de la garder, de sorte qu'elle aurait l'air d'être partie avec Regan. Il a même fait mettre la voiture de Regan dans le garage de l'immeuble où habitait Mona Mars. Mais ça a l'air un peu idiot si on considère que c'est une tentative pour détourner les soupçons, au cas où on aurait cru qu'il avait tué votre mari ou qu'il avait ordonné son assassinat. Ce n'est pas si bête, en réalité. Il avait une autre raison. Il jouait pour un million de dollars ou environ. Il savait où Regan était passé, pourquoi, et il ne voulait pas que la police soit chargée des recherches. Il voulait leur fournir une explication de la disparition qui les fasse tenir tranquilles. Je vous ennuie?

— Vous me fatiguez, dit-elle d'une voix morte, épuisée. Bon Dieu! ce que vous pouvez me fatiguer!

— Je regrette. Je ne me borne pas à me baguenauder en cherchant à faire le malin. Votre père m'a proposé mille dollars ce matin pour retrouver Regan. C'est pas mal d'argent pour moi mais je ne peux pas.

Sa bouche s'ouvrit d'un coup. Sa respiration se fit soudain rauque et haletante.

— Donnez-moi une cigarette, dit-elle péniblement. Pourquoi?

Les veines de son cou s'étaient mises à battre.

Je lui donnai une cigarette et lui tendis une allumette allumée. Elle avala une bouffée de fumée et l'exhala, et puis elle parut oublier la cigarette entre ses doigts. Ce fut la seule bouffée qu'elle en tira.

— Eh bien, le Bureau des Disparus ne peut pas le

dénicher, dis-je. Ce n'est pas si facile. S'ils ne peuvent pas, il est peu probable que j'y arrive.

— Oh!...

Il y avait une ombre de soulagement dans sa voix.

— C'est une raison. Aux Disparus, on croit qu'il s'est volatilisé volontairement, qu'il a tiré le rideau, comme on dit. Ils ne pensent pas qu'Eddie Mars se soit débarrassé de lui.

— Qui a dit qu'on s'en était débarrassé?

— Nous y arrivons, dis-je.

Pendant un court instant, son visage sembla se décomposer, ne plus être qu'un ensemble de traits sans forme ni maîtrise. Sa bouche parut vouloir préluder à un hurlement. Mais un instant seulement. Le sang des Sternwood valait mieux que ses yeux noirs et que son habituelle impudence.

Je me levai, pris la cigarette fumante entre ses doigts et l'écrasai dans un cendrier. Puis je tirai de ma poche le petit revolver de Carmen et le posai doucement, avec un soin exagéré, sur son genou de satin blanc. Je l'équilibrai dessus et me reculai en penchant la tête de côté, comme un décorateur de vitrines qui veut voir l'effet d'une nouvelle disposition du foulard autour du cou d'un mannequin.

Je me rassis. Elle n'avait pas bougé. Millimètre par millimètre, ses yeux s'abaissèrent sur l'arme.

— Sans danger, dis-je. Les cinq chambres sont vides. Elle les a toutes tirées. Elle me les a toutes tirées dessus.

Les veines de son cou battirent sauvagement. Sa voix tenta de proférer quelques mots et ne le put. Elle déglutit.

— A un mètre cinquante ou deux mètres, dis-je. C'est chou, n'est-ce pas? Dommage que je n'aie rechargé le revolver qu'à blanc.

Je souris méchamment.

— J'avais une vague idée de ce qu'elle ferait si elle en avait l'occasion.

Sa voix revint de très loin.

— Vous êtes un homme horrible, dit-elle. Horrible.

— Ouais. Vous êtes sa grande sœur. Qu'est-ce que vous allez faire?

— Vous ne pouvez pas prouver un mot de ça.

— Prouver quoi?

— Qu'elle vous a tiré dessus. Vous avez dit que vous étiez allé avec elle jusqu'aux vieux puits, seul. Vous ne pouvez pas prouver un mot de ce que vous avancez.

— Oh, ça? Je n'y songeais pas, dis-je. Je pensais à un autre jour. Un jour que le petit revolver était chargé à balles réelles.

Ses yeux étaient des étangs d'ombre — plus vides que noirs.

— Je pensais au jour où Regan a disparu, dis-je. Tard dans l'après-midi. Quand il l'a emmenée jusqu'à ces vieux puits pour lui apprendre à tirer... il a mis un vieux bidon à un endroit quelconque, lui a dit de le descendre et il est resté près d'elle pendant qu'elle tirait. Et elle a tiré sur lui, exactement comme elle a essayé de me tirer dessus aujourd'hui, et pour la même raison.

Elle bougea un peu, le revolver glissa de son genou et tomba par terre. Ce fut un des bruits les plus forts que j'aie jamais entendus. Ses yeux étaient rivés à mon visage. Sa voix était un mince murmure d'agonie.

— Carmen... Dieu tout puissant... Carmen! Pourquoi?

— Faut-il vraiment que je vous dise pourquoi elle m'a tiré dessus?

— Oui. (Ses yeux étaient toujours effrayants.) J'ai... j'ai peur de vous.

— Avant-hier soir, en rentrant chez moi, je l'ai trouvée dans mon appartement. Elle avait prétendu vouloir me faire une blague en m'attendant là-haut, et le veilleur l'avait laissée monter. Elle était dans mon lit, toute nue. Je l'ai flanquée dehors. Je suppose que Regan a dû se conduire de même. Mais on ne peut pas faire ça à Carmen...

Elle rentra ses lèvres et essaya plus ou moins de les lécher. Pendant un instant, ça la fit ressembler à un gosse effrayé. Les contours de ses joues se durcirent, sa main s'éleva lentement comme une main artificielle manœuvrée par des fils de fer, et ses doigts se fermèrent, lents et raides, sur la fourrure blanche de son cou. Ils plaquèrent la fourrure contre sa gorge. Et puis elle s'immobilisa, les yeux ouverts.

— De l'argent, dit-elle d'un ton rauque. Je suppose que vous voulez de l'argent?

— Combien? dis-je en essayant de ne pas ricaner.

— Quinze mille dollars?

J'acquiesçai :

— Ça serait à peu près correct. Le tarif officiel. Ce qu'il avait dans ses poches quand elle l'a tué. Ce que M. Canino a reçu pour se débarrasser du corps quand vous avez été demander de l'aide à Eddie Mars. Mais ça ne changerait pas énormément ce qu'Eddie espère ramasser un de ces jours, non?

— Fumier... dit-elle.

— Ah... Ah! Je suis un type vachement malin. Je n'ai pas un sentiment, pas un scrupule. Tout ce qui me tient, c'est ma soif de fric. J'en suis tellement avide que pour vingt-cinq dollars par jour et les frais, en majeure partie l'essence et du whisky, je pense à tout moi-même, dans la mesure où je peux, je risque mon propre avenir, la haine des flics, d'Eddie Mars et de ses copains, je tire des balles et j'encaisse des gnons et je dis : « Merci, messieurs dames, si vous avez encore des ennuis, j'espère que vous penserez à moi, je vous laisse une de mes cartes au cas où il arriverait quelque chose ». Je fais tout ça pour vingt-cinq dollars par jour... et peut-être aussi un tout petit peu pour préserver le peu d'orgueil qui reste à un vieux bonhomme malade et brisé, et lui laisser croire que, si ses deux petites filles sont un petit peu déchaînées, comme beaucoups de gentilles petites filles de nos jours, elles ne sont ni perverties ni criminelles. Et par conséquent, je suis un fumier. Ça va bien. Je m'en cogne. Des gens de toutes tailles et de tout poil m'ont traité comme ça, y compris votre petite sœur. Elle m'a traité de bien pire pour avoir refusé de la baiser. Votre père m'a donné cinq cents dollars que je n'avais pas demandés, mais il peut supporter ça. J'en aurai mille de plus si je trouve M. Rusty Regan, comme si je pouvais y arriver. Maintenant, vous m'offrez quinze mille dollars. Ça, je suis un gros ponte. Avec quinze mille, je peux m'acheter une maison, une bagnole neuve et quatre complets. Et même prendre des vacances sans me soucier de rater une affaire. C'est au poil. Pourquoi m'offrez-vous ça? Est-ce que je continue à être un fumier ou suis-je forcé de devenir un gentleman, comme ce soulard qui s'est laissé choir dans sa voiture il y a deux nuits?

Elle était silencieuse comme une statue.

— Ça va bien, continuai-je lourdement. Voulez-vous emmener Carmen? Quelque part au diable, dans un coin où on soignera ce qu'elle a, où on fera attention de ne pas laisser traîner les couteaux, les pistolets et les boissons fantaisie? Mince... on pourrait même la guérir, nom d'un chien... Ça s'est déjà fait.

Elle se leva et gagna lentement les fenêtres. Les rideaux tombaient en lourds plis d'ivoire à ses pieds. Elle regarda au-dehors, vers les collines bleutées et tranquilles. Elle restait immobile et se fondait presque dans la soie. Ses mains pendaient à ses côtés, inertes. Complètement immobiles. Elle se détourna, revint dans la pièce et me dépassa; elle reprit péniblement sa respiration et parla :

— Il est dans le puisard, dit-elle. Une pauvre chose décomposée, horrible. C'est moi qui l'y ai mis. J'ai fait exactement ce que vous avez dit. J'ai été trouver Eddie Mars. Elle est rentrée et elle m'a tout raconté comme un enfant. Elle n'est pas normale. Je savais que la police lui ferait tout avouer. Au bout de très peu de temps, elle finirait elle-même par s'en vanter. Et si papa l'apprenait, il les appellerait instantanément et leur dirait toute l'histoire, et dans la nuit, il serait mort. Ce n'est pas sa mort... c'est ce qu'il aurait pensé juste avant de mourir... Rusty n'était pas un mauvais type. Je ne l'ai pas aimé. Il était très bien, je suppose. Simplement, il ne représentait rien pour moi, de quelque façon que ce soit, mort ou vif, comparé à la nécessité de cacher l'histoire à papa.

— Alors vous l'avez laissée en liberté, et se fourrer dans d'autres histoires, dis-je.

— Je gagnais du temps. Il le fallait. Naturellement, je n'ai pas joué le jeu qu'il fallait. Je pensais qu'elle-même pouvait l'oublier. Il paraît qu'ils oublient ce qui leur arrive dans ces crises-là. Peut-être qu'elle a oublié. Je savais qu'Eddie Mars me saignerait à blanc, mais ça m'était égal. Il me fallait de l'aide et seul un type comme lui pouvait m'en apporter. Il y a eu des jours où j'avais peine à croire à tout ça. D'autres où j'étais forcée de me soûler très vite... quelle que soit l'heure... bougrement vite.

— Vous allez l'emmener, dis-je. Et vous allez faire ça bougrement vite.

Elle me tournait toujours le dos. Elle dit, doucement cette fois :

— Et vous?

— Moi, rien. Je m'en vais. Je vous donne trois jours. Si vous êtes partie d'ici là, ça va. Sinon, je lâche le paquet. Et ne croyez pas que je bluffe.

Elle se retourna brusquement.

— Je ne sais quoi vous dire. Je ne sais par quel bout commencer.

— Oui. Emmenez-la et tâchez qu'on la surveille à chaque seconde. Promis?

— Promis. Eddie?

— Oubliez Eddie. J'irai le voir quand j'aurai un peu dormi. Je m'arrangerai d'Eddie.

— Il essaiera de vous tuer.

— Ouais, dis-je. Son meilleur homme n'a pas pu. Je courrai ma chance avec les autres. Norris sait-il?

— Jamais il ne parlera.

— Je me disais bien qu'il savait.

Je m'éloignai d'elle et, quittant rapidement la pièce, je descendis l'escalier carrelé jusqu'à l'entrée principale. Je ne vis personne en m'en allant. Cette fois, je trouvai mon chapeau tout seul. Dehors, le grand parc paraissait hanté, comme si de petits yeux sauvages me guettaient derrière les buissons, comme si la lumière du soleil elle-même avait quelque chose de mystérieux. Je pris ma voiture et descendis la colline.

Qu'est-ce que ça peut faire, où on vous met quand vous êtes mort? Dans un puisard dégueulasse ou dans un mausolée de marbre au sommet d'une grande colline? Vous êtes mort, vous dormez du grand sommeil... vous vous en foutez, de ces choses-là... le pétrole et l'eau, c'est de l'air et du vent pour vous... Vous dormez, vous dormez du grand sommeil, tant pis si vous avez eu une mort tellement moche... peu importe où vous êtes tombé... Moi, je faisais partie des choses moches, maintenant. Bien plus que Rusty Regan. Mais le vieux bonhomme, à quoi bon? Qu'il repose tranquille dans son lit à baldaquin, avec ses mains exsangues croisées sur le drap... attendant... Son cœur n'était plus qu'un vague murmure hésitant... ses pensées grises comme la cendre... Et bientôt, lui aussi, comme Regan, dormirait du grand sommeil.

En redescendant en ville, je m'arrêtai devant un bar et m'envoyai deux doubles whiskies. Ça ne me fit aucun bien. Le résultat, c'est que je pensais à Boucles d'Ange, et jamais je ne la revis.

ŒUVRES DE RAYMOND CHANDLER

Aux Éditions Gallimard

Dans la collection Carré Noir

LA GRANDE FENÊTRE, *n° 305.*

CHARADES POUR ÉCROULÉS, *n° 324.*

Dans la collection Folio

FAIS PAS TA ROSIÈRE !, *n° 1799.*

SUR UN AIR DE NAVAJA, *n° 1849.*

LE GRAND SOMMEIL, *n° 1865.*

UN TUEUR SOUS LA PLUIE, *n° 1910.*

LA DAME DU LAC, *n° 1943.*

ADIEU, MA JOLIE, *n° 1991.*

LE JADE DU MANDARIN, *n° 2056.*

Dans la collection Bibliothèque Noire

ADIEU MA JOLIE – LA DAME DU LAC – CHARADES POUR ÉCROULÉS.

Hors série

MARLOW EMMÉNAGE, *en collaboration avec* ROBERT B. PARKER.

Impression Bussière à Saint-Amand (Cher),
le 9 octobre 1992.
Dépôt légal : octobre 1992.
1er dépôt légal dans la collection : août 1987.
Numéro d'imprimeur : 2580.
ISBN 2-07-037865-0./Imprimé en France.

57515